Diogenes Taschenbuch 24357

de
te
be

D0716062

Gefährliche Ferien – Südfrankreich

mit Martin Walker, Bernhard Schlink,
Paulo Coelho, Jean-Claude Izzo
und anderen

Ausgewählt von
Anna von Planta

Diogenes

Originalausgabe

Alle Rechte an dieser Ausgabe vorbehalten
Copyright © 2016
Diogenes Verlag AG Zürich
www.diogenes.ch
40/16/44/3
ISBN 978 3 257 24357 4

Inhalt

Martin Walker

Gefährliche Ferien

Die Verbindung war sehr schlecht. Juliettes Stimme klang zwar überraschend ruhig. Dennoch verstand der *chef de police* nur die Worte »Unfall« und »Vitrolle«.

Mit seinem Handy am Ohr rannte Bruno Courrèges die Treppe in der *mairie* der kleinen französischen Kommune Saint-Denis hinunter und fragte immer wieder, ob jemand verletzt sei. Dann riss die Verbindung ab, und nachdem er auf seine Rückrufversuche nicht einmal ein Besetztzeichen erhielt, sprang er hinter das Steuer seines Polizeitransporters und fuhr mit Blaulicht und Sirene los in Richtung *Domaine de la Vitrolle* bei Limeuil und rief stattdessen die *pompiers* an, die Freiwillige Feuerwehr und Notfallambulanz der Stadt, und bestellte sie vor das Tor des Landsitzes. Wenn dort Juliettes verunfallter Minibus nicht zu sehen wäre, würde er einfach weiterfahren und ihn suchen.

Er entdeckte ihn ungefähr fünfhundert Meter von Vitrolle, neben der Chapelle Saint-Martin. Der

Minibus stand in Gegenrichtung und mit zwei Rädern in der Böschung. Die Fahrgäste, offensichtlich amerikanische Touristen, saßen ganz benommen im Gras, während der Fahrer vor dem Bus hockte, eine Zigarette zwischen den Lippen, und düster vor sich hin starrte. Juliette dagegen, in Jeans und hellrotem Sweater, hatte sich geistesgegenwärtig mitten auf die Straße gestellt; beim Anblick des Polizeitransporters malte sich auf ihrem tapfer gefassten Gesicht ein erleichtertes Lächeln.

»Ein Glück, dass niemand verletzt ist«, sagte sie als Erstes. »Aber meine Gäste stehen alle unter Schock. Und der arme Bus ... Deshalb habe ich nicht die *urgences*, sondern zuerst Sie gerufen. Danke, dass Sie so schnell gekommen sind. Der Fahrer hat wohl einen kleinen Schock, der eine oder andere Gast vielleicht auch.«

Bruno atmete auf, als er sah, dass alle Urlauber offenbar wohlauf waren. Einige lächelten sogar und nickten ihm freundlich zu, sichtlich beruhigt durch seine Polizeiuniform, die Hilfe und die Wiederherstellung von Ordnung versprach. Mit einem charmanten *»Bonjour, messieurs-dames«* tippte er an sein Käppi und versicherte den Amerikanern in seinem holprigen Englisch, dass sie ihren Ausflug schon bald würden fortsetzen können.

In ihrer Beschreibung des Unfallhergangs stimmten Juliette und der Fahrer überein. Sie hatten die Kapelle besichtigt, eines der schönsten romanischen Baudenkmäler der ganzen Region, mit dem vielbeachteten Widmungsstein und der englischen Inschrift *Richard King of England holds the Duchy of Aquitaine*. Um anschließend zur Domaine weiterzufahren, hatte der Fahrer den Bus auf der Straße wenden müssen. Plötzlich, so schilderten beide, sei das Fahrzeug auf der rechten Seite mit beiden Rädern abgesackt, ins Schlingern geraten und in die Böschung gerutscht.

»Mit beiden Rädern gleichzeitig?«, fragte Bruno verwundert. Er ging um den Wagen herum und sah, dass die Reifen der im Graben stehenden Räder platt waren. Einstiche oder Schnittspuren waren nicht zu erkennen. Er rief in der Autowerkstatt von Lespinasse an und bat Sybille um zwei Ersatzfahrzeuge, damit Juliette und ihre Touristengruppe ihren Ausflug fortsetzen konnten. Als die Autos kamen, verabschiedete er sich von allen mit einem Händedruck, wünschte *bonne continuation* und freute sich seinerseits über deren herzliches Lob über »beautiful Périgord« und »wonderful Juliette«.

Als bald darauf Lespinasse mit dem Abschleppwagen kam, waren Juliette und die Touristen schon verschwunden. Lespinasse, ein kleiner, gedrungener Mann mit schalkhaft blitzenden Augen, war der beste Mechaniker weit und breit. Er ging in die Hocke, schaute unter den Minibus und kratzte sich am Kopf. Dann stieg er in den Graben und schraubte vom Ventil des Vorderrads die Kunststoffkappe ab. Als er sie über der geöffneten linken Hand umdrehte, rieselte ein wenig Sand in die Handfläche. Den gleichen Vorgang wiederholte er am Hinterrad – mit ähnlichem Ergebnis.

»Hast du dir Feinde gemacht, Boniface?«, fragte er den Fahrer. Und, an Bruno gewandt, setzte er nach: »Dahinter steckt doch Vorsatz, oder? Jemand hat Sand in die Reifen gepumpt. Und der hat die Schläuche während der Fahrt allmählich aufgerieben. Bis sie schließlich platzen mussten, spätestens in einer scharfen Kurve. Bei hohem Tempo hätte das böse enden können.«

Damit warf Lespinasse seine Motorwinde an, um den Minibus aus dem Graben zu ziehen, bockte ihn dann auf und wechselte die Räder. Wie sich herausstellte, waren die auf der Fahrerseite in Ordnung. Der Mechaniker untersuchte auch die platten Reifen, stellte aber keine äußeren Schäden fest und beschloss, sie mit in die Werkstatt zu nehmen und sie sich dort genauer anzusehen. Schließlich setzte er sich ans Steuer des Busses, fuhr ein Stück die Straße entlang und machte wieder kehrt.

Es sei alles in Ordnung, sagte er zu Boniface und führte dann Bruno am Arm ein paar Schritte zur Seite, außer Hörweite des Fahrers.

»Das hier scheint mir weniger ein Job für mich als ein Fall für dich zu sein«, meinte Lespinasse. »Ich weiß nicht, ob der Anschlag Boniface gegolten hat oder dem Mädchen, aber du solltest herausfinden, wer dahintersteckt, bevor jemand wirklich verletzt wird.«

»Könnten es nicht Kinder gewesen sein?«

»Das glaube ich eher nicht. Kinder hätten einfach nur die Luft rausgelassen und nicht einen so hinterhältigen Trick angewandt, schon gar nicht an einem Fahrzeug, das dem Seniorenheim gehört. Die meisten haben doch eine Oma oder einen Opa dort. Na ja, Lenkung und Radlager scheinen in Ordnung zu sein, die hab ich eben kontrolliert. Boniface könnte also seine Tour fortsetzen. Ich würde an deiner Stelle allerdings den Bus wegschließen, bis du den Fall gelöst hast.«

Bruno bedankte sich und ließ Boniface losfahren, um die Touristengruppe an der Domaine wieder einzusammeln. Lespinasse gegenüber hatte er verschwiegen, dass Juliette erst kürzlich schon einmal in Schwierigkeiten geraten war. Jemand hatte Zahnstocher in die Schlüssellöcher der Bustüren gesteckt und abgebrochen. Zum Glück hatte Boniface ein ausklappbares Toolkit mit einer spitz zulaufenden Zange dabeigehabt und die Holzsplitter entfernen können. Auf der Rückfahrt in die Stadt nahm sich Bruno vor, die Gendarmen zu bitten, den Minibus über Nacht auf deren gesichertem Parkplatz abstellen zu dürfen.

Vor der Apotheke gegenüber der Klinik hielt er kurz an, um eine Tube der speziellen Zahnpasta zu kaufen, die er benutzte. In Gedanken noch beschäftigt mit dem Minibusproblem, übersah er eine junge Frau, die eben die Stufen vor dem Geschäft heruntergesprungen kam und auf ihn zustürmte. Er nahm nur einen Schwall Parfum und teuer frisierte blonde Haare wahr, bevor sie mit ihm zusammenprallte. Portemonnaie, Schlüssel, Make-up, der ganze Inhalt ihrer Handtasche ergoss sich über den Gehweg, darunter auch eine Packung Schwangerschaftsteststreifen.

Bruno entschuldigte sich und machte sich daran, die Dinge einzusammeln. Die Besitzerin der Tasche, die er auf Mitte zwanzig schätzte, kam ihm irgendwie bekannt vor. Dennoch – aus Saint-Denis war sie nicht, da war er sich sicher, denn als *chef de police* kannte er sämtliche Einwohner des Städtchens.

Das aufdringliche Parfum brachte ihn jedoch, ohne dass er nachgedacht hätte, auf eine Spur, und er erinnerte sich, die junge Frau schon einmal in Gesellschaft von Claire gesehen zu haben, der Sekretärin des Bürgermeisters, die einen ähnlichen Geschmack hatte, was Düfte, gestylte Fingernägel und körperbetonte Kleidung anging. Claire flirtete gern, ging in Fahrstühlen gern auf Tuchfühlung und klimperte fast zwanghaft mit den Wimpern, sobald ein männliches Wesen auftauchte. Bruno fiel jetzt auch ein, wo er die beiden zusammen gesehen hatte, nämlich auf der Kirmes in einem Autoscooter, mit dem sie giggelnd und kreischend auf andere Gefährte zusteuerten, in denen Mitglieder des anderen Geschlechts saßen.

Claire war alleinstehend, aber sehr darauf aus, einen Mann zum Heiraten zu finden. Umso interessanter fand es Bruno, dass ihre Freundin, mit der sie um die Häuser zog, offenbar glaubte, schwanger zu sein. Er fragte sich, ob Claire davon wusste und welcher junge Mann sich jetzt womöglich auf eine Überraschung und eine überstürzte Hochzeit gefasst machen musste. Im Périgord hielt man es damit nämlich noch sehr genau, und es waren durchaus viele gute Ehen Hals über Kopf zustande gekommen. Ehe Bruno sich jedoch noch weiter Gedanken machen konnte, packte die junge Frau ihre Handtasche, bedankte sich mit einem flüchtigen Lächeln und rannte dann, so schnell das in ihren Stöckelschuhen möglich war, zwischen hupenden Autos quer über die Straße und auf der anderen Seite die Stufen hinauf zur Klinik.

Nach einem hektischen Blick auf die Uhr wollte sie gerade mit einer schwungvollen Armbewegung die Tür aufziehen, als diese von innen aufgestoßen wurde und Fabiola, eine der Ärztinnen, heraustrat. Die beiden Frauen wechselten ein paar Worte, die Bruno auf die Entfernung nicht hören konnte, dafür war ihre Körpersprache umso expliziter. Die Blonde fragte etwas und streckte bittend die Hände aus, worauf Fabiola die Schultern straffte, das Ansinnen entschieden zurückwies und die junge Frau wie einen begossenen Pudel stehenließ.

Wer weiß, fragte sich Bruno, der die Szene gebannt verfolgt hatte und nun über die Brücke zurück zur *mairie* ging, ob das Ganze nicht eine Vorgeschichte hatte. Von Fabiola, mit der er eng befreundet war, würde er nichts erfahren, das wusste er schon jetzt, denn sie nahm ihre Schweigepflicht als Ärztin sehr ernst. Zurück in seinem Büro, rief er Yveline an, die neue Kommandantin der örtlichen Gendarmerie, berichtete ihr von dem Vorfall mit Juliettes Minibus und bat sie, diesen in der kommenden Nacht auf ihrem Parkplatz statt wie sonst hinter dem Seniorenheim abstellen zu dürfen, was sie sofort genehmigte.

»Allerdings – warum stellen Sie ihn nicht an seinen gewohnten Platz und lassen ihn über eine Überwachungskamera beobachten?«, schlug sie vor. »Wäre doch vernünftiger. Die Heimleitung ist bestimmt einverstanden. Das Gebäude ist jedoch städtisches Eigentum, das heißt, der Bürgermeister müsste die Installation genehmigen – für Sie ja eh kein Problem.«

Bruno lehnte sich in seinem Sessel zurück und dachte über ihren Vorschlag nach. Boniface, ein übergewichtiger, dickbäuchiger Mann um die sechzig, dessen Frau als Putzhilfe im Seniorenheim arbeitete, konnte der Anschlag wohl kaum gegolten haben. Demnach stellte sich die Frage anders. Wer mochte ein Interesse daran haben, Juliettes gerade erst angemeldetes Gewerbe für Besichtigungsrundfahrten zu sabotieren? Von der Konkurrenz fiel ihm niemand ein, der als Verdächtiger in Betracht käme, denn Touristen gab es in der Region mehr als genug, und mit ihrem neuen Konzept, das Périgord auf den Spuren seiner Dichter und Denker zu erkunden, kam Juliette niemandem ins Gehege. Nachdenklich sah Bruno zum Fenster hinaus, vor dem gerade ein paar Kanus träge auf der Vézère vorbeiglitten, und versuchte, sich zu erinnern, wie alles begonnen hatte.

Es war kurz vor Ostern gewesen und zum ersten Mal warm genug, um sich schon morgens mit einem Espresso und einem warmen Croissant vor Fauquets Café auf die Terrasse zu setzen. Plötzlich war ein Schatten über seinen Tisch gefallen, und Philippe Delaron, der Pressefotograf des *Sud Ouest*, stand mit zwei Tassen auf einem Tablett vor ihm und bat, sich zu ihm setzen zu dürfen.

»Ich brauche Ihre Hilfe«, erklärte er. Bruno empfand Sympathie für den jungen engagierten Mann, der vor nicht allzu langer Zeit das alte Fotostudio seiner Eltern übernommen hatte, mit dem sich im Zuge der Einführung der Handykameras immer weniger Geld verdienen ließ, sodass er es schweren Herzens verkaufen musste. Das Angebot der Regionalzeitung, als Pressefotograf bei ihnen einzusteigen, war seine Rettung gewesen, und seit kurzem arbeitete er für sie auch noch als Korrespondent, zuständig für das Tal der Vézère. Er und Bruno standen auf freundschaftlich-distanziertem Fuß miteinander, wie es zwischen Reportern und Polizisten häufig der Fall ist. In seinem ersten Jahr als *chef de police* von Saint-Denis, vor fast zehn Jahren, hatte Bruno dafür gesorgt, dass der damals minderjährige Philippe wegen einer Spritztour in einem »geborgten« Auto nicht ins Strafregister aufgenommen wurde und die verdiente Strafe dadurch ableistete, dass er einen Winter lang für den

Fahrzeughalter Brennholz hackte. Eine Lösung, auf die Bruno stolz gewesen und für die ihm Philippe ewig dankbar war. Fortan hatte er seine Aufgabe als Kleinstadtpolizist vor allem darin gesehen, andere vor Schwierigkeiten zu bewahren.

»Es ist wegen einer Frau«, fuhr Philippe fort. Bruno nickte, seufzte innerlich und nippte an seinem Kaffee. Philippe war ein attraktiver junger Mann, der mit seiner flotten Art und seinem gewinnenden Lächeln sehr gut ankam bei den Mädchen im »Tal der Menschheit«, wie das Verkehrsamt die geschichtsträchtige Region mit ihren prähistorischen Zeugnissen voller Stolz bezeichnete. Für Philippe war sie vor allem ein großartiges Jagdrevier. Er hatte in jeder Ortschaft und jedem Dorf eine Freundin, mitunter auch zwei. Über sein Liebesleben kursierten im Rugbyklub so viele Geschichten, dass Bruno sich fragte, wann der junge Reporter überhaupt noch zum Arbeiten, geschweige denn zum Schlafen kam.

Mit seinem von der Redaktion gestellten Auto, seiner Kamera und einem Presseausweis durfte er Tag für Tag durch eine der schönsten Gegenden Frankreichs und von einer interessanten Veranstaltung zur nächsten gondeln. Und seit er auch noch dem Reporterteam des Radio Bleu Périgord angehörte, das einmal in der Woche zwei Stunden lang regionale Nachrichten kommentierte und Politiker befragte, war er fast schon eine Art lokale Berühmtheit. Und nun saß derselbe erfolgreiche junge Mann, der immer einen Scherz auf Lager hatte und seine Interviewpartner mit provokanten Fragen aufs Glatteis führte, aber klug genug war, weder das eine noch das andere zu übertreiben, dem *chef de police* gegenüber und druckste herum.

»Also – sie heißt Juliette«, begann er. Sie seien schon im *lycée* miteinander befreundet gewesen, verriet er und blickte verlegen zu Boden. Mit einer verklärten Miene, die Bruno noch nie an ihm gesehen hatte, sagte er dann, dass sie jemand ganz Besonderes sei.

»Sie spielt richtig gut klassische Gitarre und hört Jazz. Überhaupt ist die ganze Familie sehr musikalisch. Sie kennen doch sicher auch ihren Vater, den Sänger dieser Band, die durch alle Klubs tingelt, oder, Bruno?« Juliette war Klassenbeste gewesen, hatte nach dem Baccalauréat an der Universität von Bordeaux Sprachen studiert und in den Semesterferien in Brüssel für die Tourismuskommission der Europäischen Union als Praktikantin gearbeitet. Das letzte Studienjahr war sie mit einem Stipendium nach New York gegangen und hatte sich nebenbei bei der Alliance Française nützlich gemacht. Zurzeit arbeitete sie aushilfsweise für das

Fremdenverkehrsamt in Périgueux und büffelte für ihr *brevet* als Fremdenführerin.

»Aber jetzt kommt sie plötzlich mit dieser durchgeknallten Idee an, ein eigenes Unternehmen gründen zu wollen. Könnten Sie nicht mit ihr reden und sie davon abbringen?«, fragte Philippe.

»Warum sollte ich das tun?«, fragte Bruno verblüfft. »Und was, bitte sehr, ist an dieser Idee verrückt?«

»Juliette ist ein Bücherwurm, man sieht sie nie ohne Buch in der Hand, und jetzt glaubt sie, sie könnte mit literarischen Führungen hier im Périgord ihren Lebensunterhalt verdienen. Mit diesen Montaigne und Bertran de Born und wie sie alle heißen. Und natürlich auch diesem Cyrano de Bergerac, obwohl der ja nun frei erfunden ist …«

»Stimmt nicht«, entgegnete Bruno. »Er hat tatsächlich gelebt und sogar eine der ersten Science-Fiction-Geschichten über eine Reise zum Mond geschrieben. Aber er stammte aus der Gascogne und nicht von hier. Frei erfunden ist nur, dass er eine ellenlange Nase hatte und unsterblich in eine gewisse Roxane aus Bergerac verliebt war – so wollte es Rostand für sein Theaterstück.«

»Na bitte, ich sehe schon, Sie kennen sich aus, auf Sie wird sie hören. Wer um Himmels willen soll sich denn dafür interessieren, eine Woche lang von einer mittelalterlichen Burg zur nächsten geführt zu werden, um schließlich in Castillon den Montaigne-Turm zu besichtigen?«

»Ich zum Beispiel«, erwiderte Bruno. »Wäre doch mal was anderes. Ihre Freunde von der Alliance Française in New York könnten Juliette Kunden zuführen, und überhaupt würde ein solches Unternehmen unserem Tourismus nur guttun. Passt perfekt zu dem neuen Marketingkonzept unseres Fremdenverkehrsamts.«

»Sie glauben also, sie könnte damit Erfolg haben?«

»Es wird vielleicht eine Weile dauern, bis sie mit ihrem Projekt richtig Fuß fasst. Aber wenn sie den richtigen Ton trifft und ihre Touren sachkundig zu führen versteht, könnte es klappen«, sagte Bruno. »Vielleicht lässt sich ja Saint-Denis irgendwie in die Tour einbeziehen. Eines unserer Hotels oder Duncan mit seinen großen *gîtes* könnte zum Beispiel spezielle Rabatte gewähren. Ich vermute, Juliette will ihre Kunden durch die Gegend *fahren*, in einem Kleinbus zum Beispiel, so für zehn bis zwölf Personen, richtig? Hat sie denn ein solches Fahrzeug?«

»Nein, das könnte sie sich nicht leisten. Sie wohnt wieder bei ihren Eltern, und die müssen noch ihr Haus in Périgueux abbezahlen. Deshalb will ich ja auch nicht, dass sie sich in Unkosten stürzt! Warum sucht sie sich stattdessen nicht wenigstens einen festen Job in Brüssel –?« Er stockte und fügte errötend hinzu: »Auch wenn ich sie dann noch weniger sehen würde als so schon.«

Konnte es sein, dass sich der Romeo des Vézère-Tals ernsthaft verliebt hatte?, überlegte Bruno insgeheim amüsiert, ließ sich jedoch nichts anmerken und fragte: »Was sollte Juliette also Ihrer Meinung nach tun?«

»Hier im Périgord bleiben, von mir aus als Reiseleiterin, die den Touristen unsere Höhlen und Burgen zeigt, Restaurants und Winzereien, das Übliche halt. Mit ihrer Gitarre könnte sie sich abends Geld dazuverdienen. Und da sie fließend Englisch und Deutsch spricht, würde man sie wahrscheinlich sogar als Führerin in Lascaux nehmen – ganzjährig.«

Bruno nickte, vermutete aber, dass Juliette an ihren eigenen Plänen festhalten würde. Offenbar war sie eine dieser resoluten, intelligenten, gut ausgebildeten und ambitionierten Frauen, von der man eher erwartete, dass sie in Paris Karriere machte, als im Périgord zu versauern. Umso interessanter fand Bruno, dass sie offenbar gewillt war, den ungewöhnlichen Rückweg einzuschlagen und in der Provinz ihr eigenes Unternehmen zu gründen. Ob womöglich Philippe der eigentliche Grund dafür war?

»Ich hätte durchaus nichts dagegen, mich mit Juliette zu treffen, aber ihr in irgendwas reinreden werde ich bestimmt nicht«, sagte Bruno. »Und das sollten Sie auch nicht. Es würde für sie so klingen, als trauten Sie ihr nichts zu. Sie sollten ihr vielmehr Mut machen, denn sonst wird sie, falls sie ihren Plan fallen lässt, nachträglich bereuen, es nicht wenigstens versucht zu haben. Übrigens gibt's doch jetzt dieses neue Start-up-Modell des Départements, das Leuten hilft, die sich selbstständig machen wollen.«

»Aber wenn die Sache den Bach runtergeht …«

»Sie sind ihr Freund, helfen Sie ihr doch. Sie könnten im *Sud Ouest* über sie schreiben und so Werbung für sie machen oder mit Ihren Kontakten dafür sorgen, dass sie, sagen wir, von Altersheimen engagiert wird, um interessante Ausflüge mit ihren Senioren zu unternehmen. Das würde auch außerhalb der Saison Geld einbringen. Und wenn das alles nicht klappt, kann Juliette immer noch versuchen, eine Anstellung als Führerin in Lascaux zu finden. Jedenfalls täte es ihr bestimmt gut zu wissen, dass Sie an sie glauben.«

Philippe fuhr sich mit beiden Händen übers Gesicht und stand auf. »Ich bin zwar immer noch skeptisch, aber Sie haben recht. Ich sollte ihr zeigen, dass ich an sie glaube. Das tue ich ja auch. Schon in der Schule. Sie haben mich überzeugt, Bruno. Vielen, vielen Dank!«

Wenige Stunden später war Juliette zu Bruno ins Büro gekommen, hatte sich mit angenehm unaufgeregter Stimme vorgestellt und gesagt, Philippe habe sie geschickt, weil er, Bruno, ihr vielleicht weiterhelfen könne. In ihrem einfachen blauen Leinenkleid, dem rot-weißen Schal und den dunkelblonden schulterlangen Locken, die das Gesicht mit den ausgeprägten Wangenknochen, dem energischen Kinn, dem makellosen Teint und den vollen Lippen umrahmten, war sie eine aparte, natürliche Erscheinung, wenn auch keine Schönheit im eigentlichen Sinne. Besonders attraktiv waren vor allem ihre wachen hellblauen Augen. Bruno konnte durchaus verstehen, warum Philippe so bis über beide Ohren in sie verknallt war.

»Philippe hat natürlich die naheliegenden Kandidaten Michel de Montaigne, Bertran de Born und Cyrano de Bergerac genannt«, sagte Bruno. »Aber wussten Sie zum Beispiel, dass Henry Miller in Trémolat gewohnt hat?«

»Natürlich!«, gab Juliette zurück, strahlte und zitierte sofort aus dem Stegreif: »Diese großartige, friedliche Region Frankreichs wird uns Menschen immer heilig sein, und wenn die Städte ihre Dichter haben sterben lassen, wird sie Zuflucht und Wiege zukünftiger Dichter sein.‹« Dann holte sie tief Luft und sagte: »Mit anderen Worten: Montaigne, de Born und Cyrano sind nur einige von vielen Dichtern und Denkern, deren Namen mit unserer Region verknüpft sind, und ich muss sogar sehr selektiv vorgehen. Fénelon zum Beispiel, der im gleichnamigen Château unweit von hier geboren wurde und dank Ludwig XIV. zweiter Frau, Madame de Maintenon, zum Erzieher von dessen Enkel und späteren Thronerben berufen wurde. Er hat eines der meistgelesenen Bücher des 18. Jahrhunderts geschrieben, *Les Aventures de Télémaque*, in dem es – wen wundert's? – um die Ausbildung eines guten und gerechten Königs geht. Ein wichtiges Werk der Aufklärung und noch heute aktuell. Oder Jean-Paul Sartre, der als Junge die Schulferien im Haus seines Stiefvaters in Thiviers verbracht hat. In Essendiéras hat André Maurois gewohnt, und der aus Bourdeilles stammende Schriftsteller Pierre de Brantôme, der Kammerherr von Heinrich III., baute sich in Saint-Crépin-de-Richemont sein Schloss. Er war der große Chronist des höfischen Lebens im 16. Jahrhundert, und vieles, was wir über diese Zeit wissen, verdanken wir seinem Hauptwerk *Das Leben der galanten*

Damen, das bis heute lieferbar ist. Es gibt sogar einen Maigret-Krimi von Simenon mit Bezug zu unserer Gegend: *Maigret und der Verrückte von Bergerac*. Der Kommissar wird vom Titelhelden angeschossen, wacht im Krankenhaus von Bergerac auf und erfährt, dass er verdächtigt wird, einen Serienmord begangen zu haben.«

»Sie kennen sich ja wirklich gut aus, Juliette. Kompliment. Und Sie glauben, mit Ihrem Angebot genug Kunden anlocken zu können?«

»Ich biete unter anderem eine spezielle Führung für amerikanische Gäste an, die von der Alliance Française beworben wird. Es gibt schon acht Bestellungen für zwei Wochen im Sommer, und mit ihnen werde ich das Périgord auf den Spuren von Henry Miller, Ezra Pound und Thomas Jefferson erkunden. Deutschen Urlaubern habe ich André Noël aus Périgueux zu bieten, Leibkoch und Pastetenbäcker von Friedrich dem Großen. Der König hat ihm sogar ein Gedicht gewidmet, in dem er ihn als ›Newton der Kochkunst‹ besingt. Anderswo schrieb er, Noël habe mit seinen Speisen die Preußen in Epikureer verwandelt.« Juliette lachte verschmitzt. »Ich habe gehört, Sie kochen gut, Bruno. Ich leider nicht. Es wäre doch schön, ein paar Gerichte von Noël nachzukochen. Übrigens soll der preußische König laut Casanova, der sich ebenfalls an seinem Hof aufgehalten hat, Noëls Kohlsuppe *à la Fouquet* besonders gemocht haben. Keine Ahnung, was es damit auf sich hat. Dann gab es da noch die *Tarte à la Romaine* und *Poulet à la Pompadour*. Können Sie mir damit weiterhelfen?«

Bruno war sich im Klaren darüber, dass Juliette ihn als Versuchskaninchen für ihre Marketingidee benutzte. Doch so charmant und unprätentiös, wie sie ihr Wissen anbrachte, ließ er sich gern ein wenig von ihr um den Finger wickeln.

»Sie können mich für eine ihrer ersten Touren vormerken«, sagte er. »*Tarte à la Romaine* ist eine Quiche aus Auberginen, und *à la Pompadour* bezeichnet eine Sauce aus Sahne und Zwiebeln mit einem Schuss Madeira. Was *à la Fouquet* heißen soll, weiß ich nicht, aber das lässt sich bestimmt recherchieren. Ich bin sicher, wir werden genügend freiwillige Köchinnen und Köche finden, die diese Gerichte mit Freuden nachkochen werden. Mich würde außerdem interessieren, ob sich der eine oder andere Schriftsteller auch direkt mit Saint-Denis in Verbindung bringen lässt. Fällt Ihnen da jemand ein?«

»Klar. Zum Beispiel Jean Rey, der große Chemiker und Arzt Ihrer Stadt«, antwortete sie. »Erst kürzlich habe ich erfahren, dass es bei Ihnen immer noch Reste des Kräutergartens gibt, den er im

17. Jahrhundert angelegt hat. Die müsste ich mir einmal ansehen. Und dann wäre da noch André Malraux, der als einer der Anführer der Résistance sein konspiratives Hauptquartier ganz in der Nähe von La Vitrolle eingerichtet hat. Er verbrachte dort das Frühjahr und den Sommer 1944. Ich halte seine *Condition Humaine* für einen der ganz großen französischen Romane des letzten Jahrhunderts. Auch Lafon-Labatut, der blinde Dichter, hat hier gewohnt, und die Familie Saint-Exupéry – ja genau, die vom Autor des *Kleinen Prinzen* – wohnt bis heute im Château de Tiregand. Und auch der Turm des Philosophen Maine de Biran steht wie eh und je auf dem Weingut Terres Vieilles in Pécharmant.«

Bruno lächelte. »Wirklich sehr beeindruckend. Sie können sich darauf verlassen, dass der Bürgermeister und ich zu Ihren ersten Kunden zählen werden. Nun habe ich aber noch eine etwas persönliche Frage: Philippe sagte, Sie seien Klassenbeste im *lycée* gewesen, das heißt, Sie hätten problemlos auf eine der *grandes écoles* in Paris gehen können. Warum haben Sie das nicht getan?«

Verwundert runzelte Juliette die Stirn, doch dann kam ihre Antwort wie aus der Pistole geschossen: »Sie wissen doch selbst, auf was für Karrieren man dort vorbereitet wird – nämlich auf Topjobs in Politik, Wirtschaft und Verwaltung. Das ist nichts für mich. Meine Passionen sind Sprachen und Literatur. Und ich möchte mit interessanten und interessierten Leuten zusammenkommen, am liebsten hier im Périgord.«

Bruno nickte. »Haben Sie sich schon Gedanken über Preise gemacht?«

»Dazu muss ich mich noch beraten lassen. Von der Alliance Française weiß ich, dass Amerikaner für eine ganze Woche inklusive Unterkunft und Verpflegung zwei- bis dreitausend Euro zu zahlen bereit sind, je nach Jahreszeit. Ich würde sie am Flughafen von Bordeaux abholen und wieder hinbringen. Einheimischen würde ich für einen Tag plus Mittagessen vierzig Euro berechnen. Übrigens gefällt mir Ihr Vorschlag, Bruno, Ausflüge für Senioren von der *maison de retraite* zu organisieren – Ihre Hilfe könnte ich gut gebrauchen. Ich selbst kann nämlich überhaupt nicht kochen, und vierzig Euro wären zu wenig, um mittags mit meinen Gästen ins Restaurant zu gehen.«

»Könnten Sie die nicht auch bei sich zu Hause bewirten? Und das Essen zum Beispiel bei einem *traiteur* bestellen? Wenn ich richtig informiert bin, wohnen Sie bei Ihren Eltern in Périgueux, also sehr zentral und ganz in der Nähe von Schloss Montaigne oder Bertran de Borns Château in Hautefort.«

»Das kommt wohl eher nicht in Frage, denn meine Mutter würde es sich nicht nehmen lassen, meine Gäste eigenhändig zu bekochen«, antwortete sie, ohne zu lächeln, woraus Bruno schloss, dass ihre Rückkehr ins Elternhaus nicht unproblematisch verlaufen war. »Ich habe mir bereits angesehen, was es kosten würde, einen Bus zu mieten«, fuhr sie fort. »Das beste Angebot für einen Achtsitzer mit Chauffeur liegt bei zweihundert Euro am Tag. Dazu kommt dann noch der Treibstoff. Mich und den Fahrer nicht mitgerechnet, bliebe nur noch Platz für sechs Gäste, das heißt, ich müsste noch draufzahlen.«

»Die meisten größeren Seniorenheime, wie zum Beispiel unseres hier in Saint-Denis, haben ihren eigenen Bus samt Fahrer«, entgegnete Bruno. »Und da es uns gelungen ist, Geld für einen neuen Bus zu sammeln, haben wir einen in Reserve. Wenn Sie auf Ihrer Tour auch in Saint-Denis Station machen, könnten wir Ihnen den alten Minibus zur Verfügung stellen, und ich kenne Leute, die froh wären, sich für fünfzig Euro bar auf die Hand hinters Steuer setzen zu dürfen. Ich könnte mir auch vorstellen, dass Ihre Gäste in unserem Seniorenheim zu Mittag essen, Einheimische vielleicht sogar umsonst. Alle anderen würden vielleicht fünf oder sechs Euro zahlen müssen.«

»Im Ernst?« Juliette holte tief Luft. »Meinen Sie wirklich, so was könnte funktionieren?«

Bruno nickte. »Das hängt ganz allein von Ihnen ab. Sie haben das nötige Wissen und die Entschlossenheit dazu, und wenn wir Teil Ihrer Tour sind, kann ich Ihnen schon jetzt die Unterstützung von Saint-Denis versprechen. Vielleicht aktualisieren Sie, während ich mit den Verantwortlichen des Seniorenheims rede, Ihr Businesskonzept, damit ich es meinem Bürgermeister vorlegen kann. Der ist nämlich zufällig Vorsitzender des Tourismuskomitees im Regionalrat und könnte Ihnen viele Türen öffnen. Warum bieten Sie Ihre literarischen Touren nicht auch unseren Schulen an? Das Komitee für Bildung hat ein Budget für solche Angebote, und so hätten Sie mit Ihrem Unternehmen auch im Winter genug zu tun.«

Die junge Frau nickte eifrig, als Bruno aufstand und ihr die Hand reichte. »Ich wünsche Ihnen viel Glück, Juliette. Schön, dass Philippe uns miteinander bekanntgemacht hat.«

Juliette schien noch etwas auf dem Herzen zu haben. »Ich weiß«, begann sie etwas stockend, »Philippe wird von vielen unterschätzt, aber er hat immer zu mir gehalten und ist immer ein guter und treuer Freund für mich gewesen. Anders als ich war er in der Schule nämlich sehr beliebt. Ich dagegen wurde gemobbt. Und ich rechne ihm hoch an, dass er sich immer für mich eingesetzt hat, obwohl ich als Streberin verschrien war.«

Ein guter und treuer Freund! So, so!, dachte Bruno. Von dieser Seite kannte er Philippe noch gar nicht. Allerdings wollte der junge Mann für Juliette ganz offensichtlich mehr sein als nur das, ein Wunsch, den die junge Frau nicht zu teilen schien.

Schon bald nach dieser Begegnung hatte der Bürgermeister, beeindruckt sowohl von Juliette als Person als auch von ihrer Geschäftsidee, ihr Unternehmenskonzept persönlich geprüft. Der regionale Tourismusverband machte Werbung für ihre Touren, ebenso *Atout France*, die Französische Zentrale für Tourismus. Auch die größeren Seniorenheime und das Bildungsministerium hatten begeistert auf ihre Vorschläge reagiert. Kurzum: Juliettes unternehmerische Zukunft hatte golden ausgesehen …, bis ihr dieser plötzliche Sabotageakt das Geschäft zu ruinieren drohte, bevor es richtig angefangen hatte. Bruno wollte das nicht zulassen und überlegte, wie er den Schuldigen aufspüren und wenn nötig in eine Falle locken könnte. Doch Juliette, die er fragen wollte, ob sie jemanden verdächtige, konnte er wieder einmal nicht erreichen, denn mittlerweile war sie praktisch Tag und Nacht mit ihren Kunden unterwegs, die sie nicht nur tagsüber auf den Spuren der Dichter und Denker durch die Gegend führte, sondern ihnen, besonders den Ausländern unter ihnen, auch oft noch beim Abendessen Gesellschaft leistete.

Neben Boniface, der tagsüber am Steuer saß, hatte Bruno noch nach einem zweiten Fahrer gesucht, der Juliette am Abend zur Verfügung stehen würde. Didier, einen Postboten im Ruhestand, hatte er als Ersten gefragt, als er ihn zufällig auf der Boulebahn neben dem Friedhof angetroffen hatte. Klar traue er sich das zu, hatte Didier geantwortet und sofort zugesagt, besonders als ihn Bruno auf die Trinkgelder hinwies, die die Amerikaner gewöhnlich springen ließen. Von Boniface auf die Zahnstocher in der Tür aufmerksam gemacht, tippte auch er zuerst auf einen Dummejungenstreich. Doch als Bruno von dem jüngsten Unfall berichtete, wurde er skeptisch.

»Ich könnte den Bus über Nacht bei mir abstellen und ihn morgens an den Start bringen«, bot sich Didier an, offenbar entschlossen, seinen neuen Teilzeitjob zu verteidigen. Er war sich sicher, vor den verschiedenen Restaurants, zu denen er die Gäste brachte, keine verdächtige Person gesehen zu haben, und auch nicht hinter dem Seniorenheim, wo er den Minibus abstellte. Bruno notierte sich die Restaurants, die Didier ansteuerte. An diesem Abend wollten sie in Ivans Bistro in Saint-Denis einkehren – der Wirt habe versprochen, sich der Herausforderung zu stellen und die Lieblingsgerichte Friedrichs des Großen zu kochen: *Tarte Romaine* und Hühnchen *à la Pompadour*.

Bruno ging in die *mairie*, um den Bürgermeister von der Notwendigkeit zu überzeugen, eine Überwachungskamera installieren zu lassen, musste sich jedoch von Claire sagen lassen, Magnan sei gerade in einer Telefonkonferenz mit Mitgliedern des Regionalrates und das könne dauern. Ob er eine anständige Tasse Kaffee wolle?, fragte sie, da sie wusste, dass Bruno das Gebräu aus dem alten Automaten in der Kantine verabscheute.

Für Bruno kam die Verzögerung wie gerufen. »Ach, Claire«, begann er betont beiläufig, »weißt du, dass ich heute mit einer Freundin von dir zusammengerasselt bin?«, und erzählte von dem Vorfall vor der Apotheke, während Claire Kaffee machte. »Es war diese junge Frau, mit der du neulich auf der Kirmes Autoscooter gefahren bist.«

»Du meinst Denise?«, erwiderte Claire, und dann folgte ein ganzer Wasserfall von Erklärungen. »Ja, sie ist eine gute Freundin. Mit ihr auszugehen, macht immer Spaß. Und sie ist ein so lieber Mensch. Weißt du, dass sie als Ehrenamtliche im Waisenhaus der Kirche arbeitet und sich rührend um die Kleinen kümmert? Sie liebt Kinder. Wir waren zusammen auf der Berufsschule. Sie wohnt in Bergerac und arbeitet als Rezeptionistin bei ihrem Vater, der hat doch die große Renault-Werkstatt an der Straße nach Gardonne. Leider sehen wir uns nicht mehr so häufig, seit sie verliebt ist.«

Bruno wunderte sich immer wieder aufs Neue, wie viel er aus Gesprächen mit anderen und aus allgemeinem Getratsche an Informationen bezog. »In wen ist sie denn verliebt? Kenne ich ihn?«, fragte er möglichst unverfänglich.

»Frag sie doch selbst!«, antwortete Claire, die offenbar doch nicht so naiv war, wie er sie immer einschätzte. »Ich kann nur sagen, dass es ziemlich ernst ist.«

Als sie ihm den Kaffee servierte, erlosch das rote Licht auf ihrer Telefonanlage, was bedeutete, dass der Bürgermeister aufgelegt hatte. Bruno ging in sein Büro, ließ sich die Installation einer Überwachungskamera genehmigen und ging dann schnurstracks zum Elektrofachhändler im Städtchen und kaufte ein billiges Modell mit eingebautem Aufzeichnungsgerät. Zusammen mit dem Leiter des Seniorenheims schaute er dem Hausmeister bei der Montage zu, und nachdem sie sich vergewissert hatten, dass die Anlage auch tatsächlich funktionierte, gingen sie hinüber in die Cafeteria, setzten sich zu den Heimbewohnern und genossen eine vorzügliche Quiche mit Salat.

Als er wieder auf die Straße trat, entdeckte Bruno eine größere Menschenmenge, die sich um eine dichte graue Rauchwolke gebildet hatte. Durch die Schwaden hindurch konnte Bruno die Umrisse eines Minibusses erkennen, aus dem nun Juliette heraussprang und dann, mit einer Hand den Rauch vor dem Gesicht wegfächelnd, ihrer Touristengruppe beim Aussteigen behilflich war.

Boniface, ihr Fahrer, presste sich ein Taschentuch vor Nase und Mund und beugte sich über den Auspuff, aus dem der graue Rauch hervorquoll.

»Ich kann mir nicht erklären, woran es liegt«, sagte er, als Bruno neben ihn trat. »Die Temperatur liegt im Normalbereich, und den Ölstand habe ich heute Morgen noch geprüft. Der Qualm riecht auch gar nicht nach Abgasen.«

Er ging nach vorn, stellte den Motor ab und öffnete die Haube. Ein Schaden war auf den ersten Blick nicht zu erkennen. Bruno rief Lespinasse an, der wenige Minuten später zur Stelle war. Der schnupperte nur kurz am Auspuff und sagte dann: »Rizinusöl. Eindeutig. Da spielt wieder jemand Streiche und hat was von dem Zeug in den Auspuff gegossen.«

Er startete den Motor, schaute auf die Öldruckanzeige und schüttelte den Kopf. »Wenn es den Vorfall heute Morgen nicht gegeben hätte, würde ich sagen, das waren Kinder. Ärgerlich das Ganze, aber ungefährlich. Fahren Sie einfach weiter, und das Zeug verflüchtigt sich.«

»Wo haben Sie über Mittag geparkt?«, fragte Bruno Boniface.

»Na, auf dem Platz vor der Bank«, gab er zurück, stutzte dann und sagte: »Sie haben recht. Da hätte sich jemand am Bus zu schaffen machen können.«

»Haben Sie wirklich keine Ahnung, wer dahinterstecken könnte?«, fragte Bruno Juliette, die nur den Kopf schüttelte. »Ihnen ist doch klar, dass Ihnen da jemand das Geschäft verderben will, oder?«

Daraufhin wandte er sich an die Touristen, denen er mit Juliettes Hilfe, die für ihn dolmetschte, erklärte, dass die Schulkinder von Saint-Denis gern Streiche spielten, er aber dafür sorgen werde, dass sich so etwas nicht wiederholte. Er entschuldigte sich im Namen der Stadt, wünschte allen noch einen angenehmen Nachmittag, und der Minibus rollte wieder los. Bruno folgte mit seinem Transporter in diskretem Abstand, doch schon in Lalinde war das Rizinusöl offenbar verbrannt, und der Auspuff rauchte nicht mehr. Bruno hupte noch kurz zum Abschied, dann wendete er und nutzte die Fahrt zurück nach Saint-Denis, um zu telefonieren.

Zuerst war Philippe an der Reihe. Juliettes Bewunderer war, wie Bruno herausfand, schon seit dem frühen Morgen in Brantôme, vierzig Autominuten entfernt, wo er Fotos von einer Frühlingsgartenschau machte. Damit schied er als Saboteur aus. Als Zweiten rief Bruno Juliettes Vater, den Musiker, an. Ob er von irgendeinem Musikerkollegen wüsste, der ihm eins auswischen wolle, fragte er ihn. Nein, hieß es am anderen Ende der Leitung, und erst recht von keinem, dem er zutraue, sich an Juliette zu rächen. Nun konnte er nur noch auf die Überwachungskamera hoffen, doch was war, wenn der Saboteur vermummt war oder eine Maske trug? Bruno seufzte bei dem Gedanken daran, dass ihm wohl nichts anderes übrigbleiben würde, als die ganze Nacht in der Kälte auf der Lauer zu liegen.

Es war der Abend des wöchentlich bei Pamela, Brunos Freundin, stattfindenden Diners, an dem immer dieselbe Runde teilnahm: Fabiola und ihr Freund Gilles, der Baron, die Lehrerin Florence, Pamelas Geschäftspartnerin Miranda und deren Vater Jack Crimson sowie Mirandas und Florence' Kinder. Diesmal war Pamela mit Kochen an der Reihe und Bruno für den Wein zuständig. Es gebe Fischpastete, hatte sie ihm per sms avisiert. Bruno wählte dazu zwei Flaschen weißen Bergerac Sec von Château Montdoyen, einen Wein, den er und der Baron besonders gern tranken und von dem er einige Kisten im Keller hatte.

Fabiola stand vor der Spüle und putzte den Salat, Geschirr klapperte, Pamela schichtete Stampfkartoffeln über den im Ofen gebackenen Fisch, und die Kinder kamen polternd die Treppe herunter. Bruno öffnete die Flaschen, und plötzlich sagte die immer beherrschte und diskrete Fabiola erbost in die auf das vielversprechende Plopp der herausspringenden Korken folgende kurze Stille hinein: »Diese junge Frau war heute wieder bei uns! Langsam geht sie mir auf die Nerven mit ihrem Kinderwunsch. Jetzt habe ich sie schon zweimal untersucht und ihr gesagt, es sei alles in Ordnung mit ihr und sie solle sich gedulden. Aber nun hat sie offenbar gegoogelt und ist felsenfest davon überzeugt, dass sie eine dieser teuren Fruchtbarkeitsbehandlungen braucht, um schwanger werden zu können. Das Internet wächst sich zu einem echten Problem für uns aus. Jeder zweite Patient glaubt, besser Bescheid zu wissen als wir Ärzte.«

Bruno war sofort hellhörig geworden. Die junge Frau, über die sich Fabiola so ärgerte – das musste Claires Freundin sein, mit der er vor der Apotheke zusammengerauscht war und deren Vater in Bergerac eine Autowerkstatt hatte. Die Einzelheiten passten zusammen. Nach dem geselligen Abendessen, das ihm wieder einmal bewusst machte, wie glücklich er sich schätzen konnte, solche Freunde zu haben, kehrte Bruno auf dem Heimweg noch auf ein letztes Bier in der *Bar des Amateurs* ein. Das von zwei ehemaligen Rugbyspielern der Stadtmannschaft geführte Lokal war ein beliebter Treffpunkt für Sportfans, die sich auf dem großen Flachbildschirm Fußball- und Rugbyübertragungen anschauten. An diesem Abend hatten die Girondins de Bordeaux gespielt, und es waren noch mehrere junge Gäste anwesend, eine gute Gelegenheit für Bruno, um sich beiläufig nach Philippe zu erkundigen.

»Ach, dem geht's gut. Er hat wieder was laufen, aber nichts Ernstes«, antwortete Édouard, Lespinasses Sohn. »Er spielt den Libero, unser Philippe. Er wollte heute Abend noch nach Bergerac zu dem Mädchen von der Renault-Werkstatt.« Édouard grinste. »Er nennt sie seine erste Reserve, auf die er zurückgreift, wenn ein anderes Date ausfällt.«

»Ich glaube, ich weiß, wen du meinst«, sagte Bruno. »Es ist diese Denise, stimmt's?«

»Genau. Philippe sagt ja, sie hat Torschlusspanik. Aber da ist sie an den Falschen geraten. Da macht er nicht mit, nicht Philippe.«

Mehr brauchte Bruno nicht zu wissen, trotzdem blieb er noch eine Weile, leerte sein Glas und fuhr schließlich nach Hause. Da Philippe den Abend mit Denise verbrachte, erübrigte es sich, die Aufzeichnungen der Überwachungskameras abspielen zu lassen. Doch bevor er ins Bett ging, schickte er Philippe noch eine SMS, in der er ihn für den nächsten Morgen um Punkt acht in Fauquets Café bestellte und ihn bat, aus dem Archiv des *Sud Ouest* ein Foto von Denise mitzubringen.

»Erzählen Sie mir von ihr«, sagte Bruno, als sie sich außer Hörweite der anderen Gäste draußen auf die Terrasse setzten.

»Was soll ich über sie erzählen?«, murmelte Philippe und schob ihm ein Foto der jungen Frau über den Tisch zu, ein schmeichelhaftes Porträt, das ganz offensichtlich von einem professionellen Fotografen stammte. »Sie ist mir nicht besonders wichtig.«

»Aber offenbar doch wichtig genug, um mit ihr die Nacht zu verbringen, und das nicht zum ersten Mal«, entgegnete Bruno. »Es heißt, sie sei Ihre erste Reserve.«

»Spionieren Sie mir nach, Bruno?«

»Nicht Ihnen. Sie kennen doch Juliettes Probleme mit ihrem Minibus. Ich frage mich, wer ein Motiv haben könnte, ihr Unternehmen zu sabotieren.«

Philippe verschluckte sich fast an seinem Croissant. »Sie glauben, Denise …«

»Wissen Sie, dass sie unbedingt schwanger werden will? Benutzen Sie Kondome?«

»Kondome? Nein, kann ich nicht leiden. Sie hat mir versichert, dass sie verhütet.«

»Vielleicht legt sie es darauf an.«

»Wir leben doch nicht mehr im vorigen Jahrhundert, Bruno«, entgegnete Philippe und kehrte wieder sein Imponiergehabe hervor. »Mit einer Schwangerschaft lässt sich heutzutage keine Ehe mehr erzwingen.«

»Aber Sie hätten für ein Kind zu sorgen. Und was kosten die vielen Annoncen, die die Renault-Werkstatt von Denises Vater im Monat schaltet? Was meinen Sie, was passieren wird, wenn sich die Verlagsleitung zwischen einem Mitarbeiter und einem großen Werbekunden entscheiden muss? Apropos, mir ist zu Ohren gekommen, dass die *Sud Ouest* Stellenabbau auf freiwilliger Basis betreiben will.«

»Das betrifft doch nur die älteren Mitarbeiter …«, blaffte Philippe, stockte dann und sagte dann kläglich: »Ach so, ich verstehe, was Sie meinen.«

»Denise lässt sich recht häufig in Saint-Denis sehen. Ihretwegen?«

»Nein, normalerweise treffen wir uns bei ihr in Bergerac. Sie hat dort eine eigene Wohnung. Aber ihre Großmutter ist hier in der *maison de retraite*, und die besucht sie immer dienstag- oder donnerstagabends nach der Arbeit. Die alte Dame hat ein Zimmer mit Kochnische, Denise kauft vorher ein, und dann kochen sie gemeinsam. Sie ist ein nettes Mädchen, leider ein bisschen überdreht und nicht der Typ, mit dem ich den Rest meines Lebens verbringen möchte.«

»Aber gut genug, um mit ihr zu schlafen, stimmt's? Sie enttäuschen mich, Philippe«, sagte Bruno und schüttelte den Kopf. »Ich dachte, Ihre Generation hätte mehr Anstand. Denise ist eine reale Person mit eigenen Träumen, das wissen Sie und nutzen sie trotzdem aus, um sich die Hörner abzustoßen. Schade, ich hätte Ihnen mehr zugetraut. Und was würde Juliette von Ihnen denken, wenn sie dahinterkäme?«

»Himmel, Bruno, was soll das? Wir sind zwei erwachsene Menschen, die ihren Spaß haben. Und Sie sind doch selbst kein Kostverächter!«

»Es geht hier nicht um mich, Philippe, sondern um Sie und um diese beiden Frauen. Wenn ich richtig vermute, sabotiert Denise Juliettes Rundfahrten, um sie als Konkurrentin auszuschalten und Sie, Philippe, für sich zu haben. Sind Sie heute

Abend mit Denise verabredet? Heute ist Dienstag, vielleicht besucht sie ja wieder ihre Großmutter.«

»Ja, heute ist Besuchstag, aber sehen tun wir uns trotzdem nicht. Ich muss morgen in aller Frühe raus und nach Domme, dort wird ein neuer Touristenzug eingeweiht.«

»Na, dann schlafen Sie schon mal ein paar Stunden vor. Ich möchte nämlich, dass Sie ab zehn mit mir die *maison de retraite* observieren.«

»Heißt das, Sie wollen Denise auf frischer Tat ertappen?«

»Nicht nur das. Ich will verhindern, dass sie ins Gefängnis kommt. Wir sehen uns also um zehn auf dem Hinterhof des Seniorenheims.«

Nachdem er sich von Philippe verabschiedet hatte, suchte Bruno nach Didier, den er wieder beim *boule*-Spielen antraf. Er zeigte ihm Philippes Foto von Denise und ließ sich von ihm bestätigen, dass sie häufig ihre Großmutter besuchte.

Zurück in seinem Büro, versuchte Bruno, sich mit Denises Vater zu verabreden, und zwar unter Umgehung von Denise, die als Rezeptionistin alle Anrufe entgegennahm, indem er Laurent, einen befreundeten Kollegen in Bergerac, bat, ein Treffen am späten Vormittag in einer Bar an dem alten überdachten Markt zu arrangieren. Zu Brunos

Überraschung begrüßte ihn der Garagenbesitzer sofort mit Namen.

»Hallo, Bruno! Ich habe Sie schon Rugby spielen sehen, daher kenne ich Sie«, sagte er, als sie sich mit einem Glas Bier an einen Tisch gesetzt hatten. »Worum geht's?«

Nachdem Bruno alles erklärt und ihm vorgeschlagen hatte, mit ihm am Abend vor dem Seniorenheim Posten zu beziehen, bestellte der Vater zwei Cognacs und leerte sein Glas mit einem Schluck.

»Dafür muss ich mir selbst die Schuld geben«, sagte er. »Ich bin geschieden und habe mich die ganzen Jahre nur wenig um Denise gekümmert. Mein Geschäft ließ mir keine Zeit. Und dann, als sie für mich zu arbeiten angefangen hat, habe ich sie wohl verwöhnt, mit einem Appartement, einem Auto und so weiter.«

»Es scheint, dass sie das alles jetzt mit der Gründung einer eigenen Familie kompensieren will«, sagte Bruno. »Leider ist der Mann, den sie sich dafür ausgesucht hat, nicht oder noch nicht für die Ehe geschaffen, jedenfalls nicht für eine mit Denise. – Ihre Tochter wird in den nächsten Wochen viel Unterstützung von Ihnen brauchen, und damit meine ich nicht in Form von Geld.«

»Ich kann kaum glauben, was sie da getan hat.

Großer Gott, ich darf gar nicht daran denken, was alles hätte passieren können! Und sie hat ja genügend Unfallschäden in unserer Werkstatt gesehen.« Nachdem er auch noch den zweiten Cognac getrunken und Bruno versprochen hatte, spätestens um halb zehn in der *Bar des Amateurs* in Saint-Denis zu sein, fragte er zum Abschied:

»Was ist? Werden Sie sie verhaften?«

Bruno schaute ihm ins Gesicht und zuckte mit den Achseln. »Das hängt wohl in erster Linie von Juliette ab. Sie könnte darauf bestehen, dass wir Anklage erheben. Doch selbst wenn der *Procureur* auf eine Strafverfolgung verzichtet, könnte Juliette Ihre Tochter immer noch wegen geschäftsschädigenden Verhaltens anzeigen und einen Zivilprozess anstrengen. Auch das würde Schlagzeilen machen.«

»Verstehe«, sagte der Vater und starrte dann traurig auf die Regale voller Flaschen hinter dem Tresen.

Bruno fuhr zurück nach Saint-Denis, setzte seinen Bürgermeister ins Bild und rief Fabiola in der Klinik an, um sie zum Mittagessen einzuladen. Auf dem Markt von Bergerac hatte er einen Salatkopf und Früherdbeeren gekauft, in seiner bevorzugten *boulangerie* ein Brot besorgt und zu Hause eine Terrine selbst gemachte Wild-*pâté* aus dem Vorrat geholt. Jetzt bereitete er in der Küche eine Mayonnaise vor, in die er unter Fabiolas skeptischem Blick etwas Thunfisch aus der Dose einrührte. Als er sie in seinen Plan einweihte, rührte sie ihren weißen Bergerac Sec nicht mehr an.

»Ich nehme an, du hast gesehen, wie ich sie vor der Klinik abgefertigt habe«, sagte sie, erneut skeptisch, wenn auch aus einem anderen Grund. »Aber wie kommst du darauf, dass sie schwanger werden will?«

»Aufgrund von Äußerungen, die ich in der Bar aufgeschnappt habe und wonach Philippe sie als seine erste Reserve bezeichnet, mit der er zwar ins Bett geht, aber sonst nichts weiter im Sinn hat. Wichtiger ist jetzt die Frage, was zu tun ist, wenn wir sie dabei erwischen, dass sie diesen Minibus noch einmal manipuliert.«

»Hältst du sie denn für dumm genug, einen neuen Versuch zu wagen, nachdem der Trick mit den Reifen nichts bewirkt hat?«

»Leider ja. Juliette ist für sie zu einer Obsession geworden. Denise ist deine Patientin, es wäre gut, wenn du heute Abend dabei bist. Wir könnten ihr größere Unannehmlichkeiten ersparen.«

»Du lässt mir keine andere Wahl, Bruno«, erwiderte Fabiola und nahm erst jetzt einen großen Schluck aus ihrem Glas.

Bruno hatte an diesem Nachmittag noch einen weiteren Anruf zu erledigen. Anschließend trainierte er die *minimes* des Tennisvereins, von denen manche schon so gut spielten, dass sie ihn in ein, zwei Jahren wahrscheinlich vom Platz fegen würden.

Alles kam wie vorhergesehen, fast alles. Denise kam nach ihrem Besuch bei der Großmutter auf den Hinterhof. Sie trug Turnschuhe und holte etwas aus ihrer Handtasche, das wie eine Tube aussah. Damit beugte sie sich über den Kühler und hantierte an den Scheibenwischern herum, wie es schien. Als sie sich der Fahrertür näherte, trat Bruno aus dem Dunkel und richtete den Strahl seiner Taschenlampe auf sie.

»Sie sind festgenommen, Denise«, sagte Bruno und ergriff ihren Arm. »Sie stehen unter dem dringenden Verdacht bösartiger Sachbeschädigung.« Er betrachtete die Tube in ihrer Hand. Es handelte sich um Sekundenkleber. »So leicht geben Sie sich nicht geschlagen, stimmt's? Nach den Wischerblättern wollten Sie jetzt wohl auch noch die Türschlösser verkleben, ja?«

Denise funkelte ihn wütend an, fuhr dann aber erschrocken herum, als ihr Vater, nachdem er die Hofbeleuchtung eingeschaltet hatte, durch die Hintertür des Seniorenheims ins Freie trat und sich neben Bruno stellte. Als dann auch noch Philippe hinzukam, gefolgt von Fabiola und … Juliette, entgleiste ihre Miene völlig.

»Warum?«, fragte Juliette, der Brunos letzter Anruf am Nachmittag gegolten hatte und die auf der Rückbank des Minibusses gewartet hatte. »Warum das Leben anderer Menschen aufs Spiel setzen? Warum willst du mich ruinieren? Was habe ich dir getan, dass du dich so an mir zu rächen versuchst?«

»Immer musstest du bei allem die Beste sein, deshalb«, blaffte Denise. »Liebling der Lehrer, Hochschulstudium, mit einem Stipendium nach New York. Und jetzt bekommst du auch noch ihn …« Denise richtete einen hasserfüllten Blick auf Philippe, der stocksteif dastand und sie anstarrte. »… der nur noch Augen hat für Juliette, Juliette, Juliette.«

»Aber – aber – ich will ihn doch gar nicht«, stotterte Juliette. »Er ist ein guter Freund, mehr nicht. Bevor ich mich ernsthaft für Männer interessiere, möchte ich selbst ein gutes Stück weiterkommen. Vielleicht wäre das auch für dich das Richtige, Denise.«

Bruno konnte Denise gerade noch rechtzeitig auffangen, ehe sie ohnmächtig umsank. Und während Fabiola ihren Puls fühlte und ihr mit einer kleinen Taschenlampe in die Augen leuchtete, näherte sich schüchtern ihr Vater, der ganz offensichtlich weder wusste, was er sagen, noch, was er tun sollte.

»Keine Angst«, versuchte Fabiola, ihn zu beruhigen. »Sie ist bloß nervlich ein bisschen mitgenommen.«

»Es tut mir so leid, das Ganze«, sagte der Vater, an Juliette gewandt. »Und für den Schaden komme ich selbstverständlich auf.«

»Machen Sie sich deswegen keine Gedanken«, entgegnete sie. Den Blick auf Philippe gerichtet, schüttelte sie traurig den Kopf. Dann schaute sie zu Denise hinüber, die langsam wieder zu sich kam, fasste schließlich Bruno ins Auge und sagte: »Ich werde keine Anzeige erstatten. Sie hat sich mit Philippes Hilfe selbst schon genug bestraft. Brauchen Sie mich noch? Ich muss morgen früh raus und vorher noch einiges für meine Tour morgen vorbereiten.«

Bruno und Philippe schauten ihr nach. Plötzlich war ein lautes »*Merde!*« von Denises Vater zu hören, gefolgt von einer schallenden Ohrfeige, so fest, dass der junge Mann zu Boden ging. »Sie Mistkerl, Sie!«, polterte der Garagist. »Wagen Sie sich nur ja nie wieder in die Nähe meiner Tochter!« Sprach's, schob Bruno beiseite, legte seiner Tochter den Arm

49

um die Schultern und sagte: »Komm, Liebling, gehen wir nach Hause.«

Doch schon nach wenigen Schritten blieb er noch einmal stehen, schaute zu Bruno zurück und bat ihn: »Richten Sie der jungen Frau aus, dass sie sich einen neuen Minibus leasen kann. Die Rechnung geht an mich. Und vielen Dank, Bruno. Vielen Dank für alles.«

Bruno half Philippe auf die Beine. »Die Ohrfeige haben Sie verdient.«

»Ich weiß«, murmelte der und befingerte vorsichtig seinen Kiefer.

»Sie haben hoffentlich aus dieser Geschichte zwei Lehren gezogen.«

»Eine brennt mir noch im Gesicht«, antwortete Philippe. »Was ist die zweite?«

»Beurteile einen *flic* nie nach der Anzahl seiner Festnahmen. Ebenso wichtig ist, dass er nicht alle, die sich strafbar machen, hinter Gitter bringt.«

Marguerite Duras

Der Zug von Bordeaux

Es war einmal, ich war sechzehn. Ich hatte in
diesem Alter noch ein kindliches Aussehen.
Es war nach der Rückkehr aus Saigon, nach dem
chinesischen Liebhaber, in einem Nachtzug, dem
Zug von Bordeaux, um 1930. Ich war mit meiner
Familie, meinen beiden Brüdern und meiner Mutter unterwegs. Es gab, glaube ich, noch zwei, drei
weitere Personen im Dritte-Klasse-Wagen mit acht
Plätzen, darunter auch einen jungen Mann, der
mir gegenübersaß und mich ansah. Er muss drei-
ßig gewesen sein. Es muss Sommer gewesen sein.
Ich trug immer diese hellen Kleider der Kolonien
und Sandalen an den nackten Füßen. Ich war nicht
schläfrig. Der Mann fragte mich über meine Familie aus, und ich erzählte ihm vom Leben in den
Kolonien, vom Regen, der Hitze, den Veranden,
von den Unterschieden zu Frankreich, den Aus-
flügen in die Wälder und vom Abitur, das ich in
diesem Jahr machen würde, lauter solche Dinge,
wie sie zu den üblichen Zuggesprächen gehören,

wo man seine eigene Geschichte und die der Familie aufrollt. Und plötzlich stellten wir fest, dass alle schliefen. Meine Mutter und meine Brüder waren schon kurz nach der Abfahrt von Bordeaux eingeschlafen. Ich sprach leise, um sie nicht zu wecken. Hätten sie gehört, dass ich Familiengeschichten erzählte, hätten sie es mir unter Schreien, Drohungen und Gebrüll verboten. Die Tatsache, dass ich mich ganz leise mit dem Mann unterhielt, hatte auch die drei oder vier anderen Passagiere im Wagen eingeschläfert. So dass schließlich nur noch der Mann und ich wach waren. Unter diesen Umständen hatte es plötzlich begonnen, exakt im selben Moment, schlagartig mit einem einzigen Blick.

Damals sprach man nicht über diese Dinge, und schon gar nicht in einer solchen Situation. Plötzlich konnten wir nicht mehr weiterreden. Konnten uns auch nicht mehr ansehen, wir waren kraftlos, wie erschlagen. Ich war es, die sagte, wir müssten schlafen, um am nächsten Morgen bei der Ankunft in Paris nicht allzu müde zu sein. Er befand sich in der Nähe der Tür, er löschte das Licht. Zwischen ihm und mir war ein Platz frei. Ich streckte mich auf dem Sitz aus, winkelte die Beine an und schloss die Augen. Ich hörte, dass er die Tür öffnete. Er ging hinaus und kam mit einer Zugdecke zurück, die er über mich ausbreitete. Ich öffnete die Augen, um ihm zuzulächeln und danke zu sagen. Er sagte: »Nachts stellen sie in den Zügen die Heizung ab, und gegen Morgen ist es kalt.« Ich schlief ein. Ich wurde von seiner sanften und warmen Hand geweckt, die ganz langsam meine Beine auseinanderschob und versuchte, höher hinaufzudringen. Ich öffnete ein wenig die Augen. Ich sah, dass er die Leute im Wagen beobachtete, wachsam, er hatte Angst. Mit einer sehr langsamen Bewegung rückte ich näher zu ihm. Lehnte meine Beine an ihn. Gab sie ihm. Er nahm sie. Mit geschlossenen Augen verfolgte ich jede seiner Bewegungen. Zuerst waren sie langsam, dann zunehmend langsamer, beherrscht bis zum Schluss, bis zur Hingabe an die Lust, die ebenso anstrengend war, wie wenn er geschrien hätte.

Einen langen Moment war nur das Geräusch des Zugs zu hören. Er fuhr schneller, und dieses Geräusch wurde ohrenbetäubend. Dann wurde es wieder erträglich. Seine Hand legte sich auf mich. Sie war unsicher, noch warm, sie hatte Angst. Ich nahm sie in meine. Dann ließ ich sie los, ließ ihn machen.

Das Geräusch des Zugs wurde wieder stärker. Die Hand zog sich zurück, einen langen Moment blieb sie fern, ich weiß es nicht mehr, ich musste in den Schlaf gesunken sein.

Sie kam zurück.

Sie streichelt den ganzen Körper, dann streichelt sie die Brüste, den Bauch, die Hüften, mit einer Sanftheit, die gelegentlich vom wiederkehrenden Begehren erschüttert wird. Sie hält von Zeit zu Zeit ruckartig inne. Sie ruht auf dem Geschlecht, zitternd, bereit zuzupacken, von neuem heiß. Dann fängt sie wieder an. Sie fügt sich, sie mäßigt sich, sie besänftigt sich, um vom Kind Abschied zu nehmen. Rund um die Hand – das Geräusch des Zugs. Rund um den Zug – die Nacht. Die Stille der Gänge im Zuglärm. Die Halte, die einen aufweckten. Er stieg mitten in der Nacht aus. Als ich in Paris die Augen aufschlug, war sein Platz leer.

Paulo Coelho

Loni

Sie wachte davon auf, dass ihr Wasser aufs Gesicht tropfte. Sie hatte einen seltsamen Traum gehabt und wusste nicht, was das alles bedeutete. Da hatte es in der Luft schwebende Kathedralen und Bibliotheken voller Bücher gegeben. Sie war noch nie in einer Bibliothek gewesen.

»Loni, geht es dir gut?«

Nein, es ging ihr nicht gut. Ihr rechter Fuß war taub, und sie wusste, dass dies ein schlechtes Zeichen war. Außerdem hatte sie keine Lust, sich zu unterhalten, denn sie wollte den Traum nicht vergessen.

»Loni, wach auf!«

Sie musste im Fieber deliriert haben. Alles hatte so lebendig gewirkt. Sie wünschte sich, die anderen würden sie nicht weiter rufen, denn der Traum verblasste allmählich, und sie hatte nicht begriffen, was er bedeutete.

Der Himmel war bedeckt, die tief hängenden

Wolken berührten beinahe den höchsten Burgturm. Sie blickte in die Wolken. Wie gut, dass sie
die Sterne nicht sehen konnte. Die Priester sagten
immer, sogar die Sterne seien nicht vollkommen
gut.

Kurz nachdem sie die Augen geöffnet hatte,
hörte es auf zu regnen. Wahrscheinlich war jetzt
die Zisterne der Burg voller Wasser. Sie ließ den
Blick von den Wolken hinunter auf den Burgturm,
die Feuer im Hof, die Menschenmenge schweifen,
die ziellos umherlief.

»Talbo«, sagte sie leise.

Er umarmte sie. Sie spürte seine kalte Rüstung
und roch den Rußgeruch in seinem Haar.

»Wie viel Zeit ist vergangen? Welchen Tag haben
wir heute?«

»Du bist drei Tage lang nicht aufgewacht«, sagte
Talbo.

Sie schaute Talbo an, und er tat ihr leid. Er war
dünner geworden, sein fahles Gesicht war schmutzig. Aber all das war unwichtig – sie liebte ihn.

»Ich habe Durst, Talbo.«

»Es gibt kein Wasser. Die Franzosen haben den
Geheimgang entdeckt.«

Sie hörte wieder die Stimmen in ihrem Kopf. Ihr
ganzes Leben lang hatte sie diese Stimmen gehasst.
Ihr Mann war ein Krieger, ein Söldner, der die

meiste Zeit im Jahr unterwegs war und kämpfte, und sie befürchtete ständig, dass die Stimmen ihr erzählten, dass er in einer Schlacht getötet worden war. Sie hatte herausgefunden, wie sie verhindern konnte, dass die Stimmen zu ihr sprachen – sie brauchte sich in Gedanken nur auf einen alten Baum in ihrem Dorf zu konzentrieren. Wenn sie es tat, schwiegen die Stimmen.

Doch jetzt war sie zu schwach, und die Stimmen waren wieder da.

›Du wirst sterben!‹, sagten die Stimmen. ›Aber er wird gerettet werden.‹

»Es hat doch geregnet, Talbo«, ließ sie nicht locker. »Ich brauche Wasser.«

»Es waren nur ein paar Tropfen. Die konnten nichts ausrichten.«

Loni schaute wieder in die Wolken. Sie waren die ganze Woche dort gewesen und hatten nur die Sonne ferngehalten, den Winter kälter gemacht und die Burg finsterer. Vielleicht hatten die katholischen Franzosen recht. Vielleicht war Gott wirklich auf ihrer Seite.

Ein paar Söldner traten zu den beiden. Überall gab es Feuer, und Loni hatte das Gefühl, in der Hölle zu sein.

»Die Priester rufen alle zusammen, Kommandant«, sagte einer zu Talbo.

»Wir sind zum Kämpfen angeheuert worden, nicht um zu sterben«, meinte ein anderer.

»Die Franzosen haben uns ein Angebot gemacht«, entgegnete Talbo. »Sie haben gesagt, dass diejenigen, die zum katholischen Glauben zurückkehren, freies Geleit bekommen.«

›Das werden die Perfecti nicht zulassen‹, wisperten die Stimmen Loni zu. Sie wusste das. Sie kannte die Perfekten gut. Ihretwegen war Loni hier und nicht zu Hause, wo sie sonst immer darauf wartete, dass Talbo aus der Schlacht heimkehrte. Die Perfecti, die Vollkommenen, wurden seit vier Monaten in dieser Burg belagert, und die Frauen im Dorf kannten den geheimen Gang. Die ganze Zeit hatten sie Nahrungsmittel, Kleidung und Munition gebracht; die ganze Zeit hatten die Frauen ihre Ehemänner sehen können, und weil die Frauen sie mit Nachschub versorgten, hatten die Ehemänner weiterkämpfen können. Aber der Geheimgang war entdeckt worden, und jetzt konnte sie nicht wieder zurück. Die anderen Frauen ebenso wenig.

Loni versuchte, sich aufzusetzen. Ihr Fuß tat nicht mehr weh. Die Stimmen sagten ihr, dass dies ein schlechtes Zeichen sei.

»Wir haben nichts mit deren Gott zu tun. Wir werden nicht deswegen sterben«, sagte ein anderer.

Ein Gong ertönte in der Burg. Talbo erhob sich.

»Nimm mich mit dir!«, flehte sie ihn an. Talbo sah seine Gefährten an und dann seine Frau, die zitternd vor ihm saß. Einen Augenblick lang wusste er nicht, wie er sich entscheiden sollte. Seine Männer waren den Krieg gewohnt – und wussten, dass verliebte Krieger sich während der Schlacht versteckten.

»Ich werde sterben, Talbo. Nimm mich bitte mit.«

Einer der Söldner schaute den Kommandanten an.

»Es ist nicht gut, sie hier allein zu lassen«, sagte der Söldner. »Die Franzosen könnten wieder schießen.«

Talbo tat so, als gäbe er den anderen recht. Er wusste, dass die Franzosen nicht wieder schießen würden. Sie befanden sich in einem Waffenstillstand und handelten die Kapitulation von Montségur aus. Aber der Söldner verstand, was in Talbos Herzen vor sich ging – bestimmt war auch er verliebt.

›Er weiß, dass du sterben wirst‹, sagten die Stimmen zu Loni, während Talbo sie zärtlich in den Arm nahm. Loni wollte nicht hören, was die Stimmen sagten. Sie erinnerte sich an einen Sommernachmittag, an dem sie Arm in Arm mit Talbo durch ein Weizenfeld gegangen war. Damals hatte sie auch Durst gehabt und Wasser aus einem Bach getrunken, der von den Bergen herunterkam.

Die Menge versammelte sich am großen Felsen, der in die westliche Mauer der Festung von Montségur überging. Es waren Männer, Soldaten, Frauen und Kinder. Eine bedrückende Stille lag in der Luft, und Loni wusste, dass sie nicht aus Respekt vor den Priestern schwiegen, sondern aus Angst vor dem, was geschehen könnte.

Die Priester kamen herein, viele von ihnen in dunklen Umhängen mit einem aufgestickten großen gelben Kreuz. Sie setzten sich auf den Felsen, auf die Außentreppen und auf den Boden vor dem Turm. Der letzte, der eintrat, hatte schlohweißes Haar. Er stieg zum höchsten Punkt der Mauer hinauf. Sein Gesicht wurde von den Flammen der Feuer beleuchtet, der Wind zerrte an seinem schwarzen Umhang. Als er oben stand, knieten alle mit gefalteten Händen nieder und berührten dreimal mit der Stirn den Boden. Talbo und seine Söldner blieben stehen. Sie waren nur zum Kämpfen angeheuert worden.

»Uns wurde die Kapitulation angeboten«, sagte der Priester oben von der Mauer herab. »Allen steht es frei zu gehen.«

Ein Seufzer der Erleichterung ging durch die Menge.

»Die Seelen des fremden Gottes werden im Reich dieser Welt bleiben. Die Seelen, die dem wahren Gott gehören, werden in dessen unendliche Barmherzigkeit eingehen. Der Krieg wird weitergehen, aber es ist kein ewiger Krieg. Denn der fremde Gott wird am Ende besiegt werden, auch wenn er einen Teil der Engel verdorben hat. Der fremde Gott wird besiegt werden und nicht zerstört. Er wird für alle Ewigkeit in der Hölle sein bei den Seelen, die er verführen konnte.«

Die Menge blickte zu dem alten Mann oben auf der Mauer hinauf. Keiner war sich mehr sicher, ob er jetzt entkommen und dafür die ganze Ewigkeit lang leiden wollte.

»Die Kirche der Katharer ist die wahre Kirche«, fuhr der Priester fort. »Mit Hilfe von Jesus Christus und des Heiligen Geistes ist es uns gelungen, uns mit Gott zu vereinen. Wir müssen nicht noch einmal wiedergeboren werden. Wir müssen nicht wieder in das Reich des fremden Gottes zurückkehren.«

Loni bemerkte, dass drei Priester aus der Gruppe vortraten und der versammelten Menge geöffnete Bibeln hinhielten.

»Das *consolament*, die spirituelle Taufe, wird

allen zuteil, die mit uns sterben wollen. Dort unten erwartet uns das Feuer. Und ein grauenhafter, qualvoller Tod. Ein langsamer Tod und ein Schmerz, den die Flammen unserem Fleisch zufügen, wenn sie es verbrennen, der mit keinem Schmerz verglichen werden kann, den ihr je erfahren habt.

Doch nicht allen wird diese Ehre zuteil werden. Nur den wahren Katharern. Die anderen sind zum Leben verdammt.«

Zwei Frauen traten scheu zu den Priestern vor, die die geöffneten Bibeln in Händen hielten.

Einem jungen Mann gelang es, sich aus den Armen seiner Mutter zu befreien. Auch er trat heran.

Vier Söldner wandten sich an Talbo.

»Wir wollen das Sakrament empfangen, Kommandant. Wir möchten getauft werden.«

›Und so wird die Tradition aufrechterhalten‹, sagten die Stimmen. ›Wenn die Menschen bereit sind, für einen Gedanken zu sterben.‹

Loni wartete darauf, wie Talbo sich entscheiden würde. Die Söldner hatten ihr ganzes Leben lang für Geld gekämpft, bis sie herausgefunden hatten, dass bestimmte Menschen imstande sind, für das zu kämpfen, was sie für richtig halten.

Talbo stimmte schließlich zu. Aber er verlor ein paar seiner besten Männer.

»Lass uns hier herausgehen!«, sagte Loni. »Lass uns zu den Mauern gehen. Sie haben schon gesagt, dass, wer gehen will, gehen kann.«

»Wir sollten uns lieber ausruhen, Loni.«

›Du wirst sterben‹, wisperten die Stimmen wieder.

»Ich möchte auf die Pyrenäen schauen. Ich möchte noch einmal auf das Tal schauen, Talbo. Du weißt, dass ich sterben werde.«

Ja, er wusste es. Er kannte das Schlachtfeld und die Wunden, die seine Soldaten dahinrafften. Lonis Wunde war seit drei Tagen offen, vergiftete ihr Blut.

Menschen, deren Wunden nicht verheilten, konnten bestenfalls noch zwei Wochen leben. Nie länger.

Und Loni war dem Tod nah. Sie hatte kein Fieber mehr. Talbo wusste auch, dass dies ein schlechtes Zeichen war. Solange der Fuß schmerzte und das Fieber brannte, kämpfte der Organismus noch. Jetzt gab es keinen Kampf mehr – nur noch Warten.

›Du hast keine Angst‹, sagten die Stimmen. Nein, Loni hatte keine Angst. Von Kindesbeinen an wusste sie, dass der Tod nur ein anderer Anfang war. Damals waren die Stimmen ihre lieben Gefährtinnen gewesen. Und sie hatten Gesichter, Körper gehabt, die nur sie sehen konnte. Es waren Menschen, die aus anderen Welten gekommen waren, sich mit ihr unterhielten und sie nie allein ließen. Sie hatte eine fröhliche Kindheit gehabt – sie spielte mit den anderen Kindern, indem sie ihre unsichtbaren Freunde mit einspannte, verschob Gegenstände, ohne sie zu berühren, machte ganz bestimmte Geräusche, mit denen sie den anderen einen kleinen Schrecken einjagte. Damals war ihre Mutter dankbar dafür gewesen, dass sie bei den Katharern lebten – »wenn die Katholiken hier wären, würden sie dich bei lebendigem Leib verbrennen«, hatte sie immer gesagt. Die Katharer maßen dem keine Bedeutung bei – sie fanden, dass die Guten gut, die Bösen böse waren und keine Kraft des Universums etwas daran ändern konnte.

Aber dann waren die Franzosen gekommen und hatten behauptet, es gebe kein Land der Katharer. Und nun herrschte seit acht Jahren Krieg.

Allerdings hatte ihr der Krieg auch etwas Gutes gebracht: Ihren Mann, der in einem fernen Land von den Priestern der Katharer angeheuert worden war, die selbst niemals eine Waffe ergriffen. Aber der Krieg hatte auch etwas Schlechtes gebracht: Die Angst, bei lebendigem Leib verbrannt zu werden. Denn die Franzosen rückten immer näher an ihr Dorf heran. Loni begann Angst vor ihren unsichtbaren Freunden zu haben, und allmählich verschwanden sie aus ihrem Leben. Aber die Stimmen blieben. Sie sagten immer, was geschehen würde und was Loni tun sollte. Aber Loni wollte ihre Freundschaft nicht, denn sie wussten zu viel. Eine Stimme hatte sie dann den Trick mit dem heiligen Baum gelehrt. Und seit der letzte Kreuzzug gegen die Katharer begonnen hatte und die französischen Katholiken eine Schlacht nach der anderen gewannen, hörte sie die Stimmen nicht mehr.

Heute jedoch hatte sie keine Kraft mehr, an den Baum zu denken. Die Stimmen waren wieder da, und sie störte sich nicht daran. Im Gegenteil, sie brauchte sie. Sie würden ihr den Weg zeigen, nachdem sie gestorben war.

»Mach dir meinetwegen keine Sorgen, Talbo! Ich habe keine Angst zu sterben«, sagte sie.

Sie gelangten auf die Krone der Mauer. Ein kalter Wind blies unaufhörlich, und Talbo legte schützend seinen Umhang um sie. Sie blickte auf die Lichter einer Stadt am Horizont. Überall im Tal loderten Feuer. Die französischen Soldaten warteten auf die letzte Entscheidung. Von unten drangen Flötenklänge herauf. Eine Stimme sang.

»Es sind die Soldaten«, sagte Talbo. »Sie wissen, dass sie jeden Augenblick sterben können, und daher ist das Leben immer ein großes Fest.«

Loni fühlte eine ungeheure Wut auf das Leben. Die Stimmen erzählten ihr, dass Talbo anderen Frauen begegnen, mit ihnen Kinder haben und durch das Plündern von Städten ein reicher Mann werden würde. ›Aber er wird niemals wieder jemanden lieben wie dich, denn du bist für immer ein Teil von ihm‹, sagten die Stimmen.

Sie schauten lange auf die Landschaft dort unten, hielten einander umarmt und hörten den Gesängen der Soldaten zu. Loni spürte, dass dieser Berg in der Vergangenheit der Schauplatz anderer Kriege gewesen war, in einer Vergangenheit, die so weit zurücklag, dass nicht einmal die Stimmen sich daran erinnern konnten.

»Wir sind ewig, Talbo. Die Stimmen haben es mir gesagt, damals, als ich ihre Körper und ihre Gesichter sehen konnte.«

Talbo wusste von der besonderen Gabe seiner Frau. Aber sie hatte lange nicht mehr darüber gesprochen. Vielleicht war es das Delirium.

»Dennoch ist kein Leben wie das andere. Und es mag sein, dass wir einander nie wieder begegnen werden. Mir ist wichtig, dass du weißt, dass ich dich mein ganzes Leben lang geliebt habe. Ich habe dich geliebt, noch bevor ich dir begegnet bin. Du bist ein Teil von mir.«

»Ich werde sterben. Und da ich ebenso gut

morgen sterben kann wie an jedem anderen Tag, möchte ich zusammen mit den Priestern sterben. Ich habe nie verstanden, was sie über die Welt denken, aber sie haben mich immer verstanden. Ich möchte sie ins andere Leben begleiten. Vielleicht kann ich ihnen eine gute Führerin sein, weil ich bereits in anderen Welten war.«

Loni dachte über die Ironie des Schicksals nach. Sie hatte vor den Stimmen Angst gehabt, weil sie sie auf den Scheiterhaufen hätten bringen können. Doch der Scheiterhaufen hatte so oder so am Ende ihres Weges gelegen.

Talbo schaute seine Frau an. Ihre Augen verloren den Glanz, aber sie war immer noch so bezaubernd wie damals, als er sie kennengelernt hatte. Bestimmte Dinge hatte er ihr nie gesagt – er hatte ihr nichts über die Frauen erzählt, die er als Preis nach der Schlacht erhalten hatte, Frauen, denen er auf seinen Reisen durch die Welt begegnet war, Frauen, die darauf warteten, dass er eines Tages zurückkam. Er hatte es ihr nicht erzählt, da er sicher war, dass sie alles wusste und ihm verzieh, weil er ihre große Liebe war, und die große Liebe steht über allen weltlichen Dingen.

Aber es gab auch andere Dinge, die er ihr nie erzählt hatte und die sie möglicherweise niemals herausfinden würde. Dass sie es mit ihrer Zärtlichkeit und ihrer Fröhlichkeit gewesen war, die ihn den Sinn des Lebens wieder hatte finden lassen. Dass es die Liebe zu ihr gewesen war, die ihn an die entferntesten Orte der Welt gebracht hatte, weil er reich genug sein musste, um ein Feld zu kaufen und für den Rest seiner Tage in Frieden mit ihr zu leben. Das ungeheure Vertrauen in dieses zerbrechliche Wesen, dessen Seele nun erlosch, hatte ihn gezwungen, ehrenvoll zu kämpfen, denn er wusste, dass er nach der Schlacht das Grauen des Krieges in ihrem Schoß vergessen konnte. Der einzige Schoß, in den er seinen Kopf betten und wie ein kleiner Junge schlafen konnte.

»Rufe einen Priester, Talbo!«, sagte sie. »Ich möchte die Taufe empfangen.«

Talbo schwankte einen Augenblick lang. Nur Krieger wählten die Art ihres Todes. Aber die Frau hatte ihr Leben aus Liebe gegeben – vielleicht war für sie die Liebe eine unbekannte Art des Krieges.

Er erhob sich und stieg die Stufen an der Mauer hinunter. Loni versuchte, sich auf die Musik zu konzentrieren, die von unten heraufschallte und den Tod einfacher machte. Die Stimmen hörten aber nicht auf zu reden.

›Jede Frau kann in ihrem Leben die Vier Ringe der Offenbarung tragen. Du hast nur einen Ring getragen, und es war der falsche Ring‹, sagten die Stimmen.

Loni blickte auf ihre Finger. Sie waren blutig, die Nägel schmutzig. Da war kein Ring. Die Stimmen lachten.

›Du weißt, was wir meinen‹, sagten sie. ›Die Jungfrau, die Heilige, die Märtyrerin, die Hexe.‹

In ihrem Herzen wusste Loni, was die Stimmen sagten. Aber sie erinnerte sich nicht daran. Sie hatte es vor sehr langer Zeit gewusst, in einer Zeit, in der die Menschen sich anders kleideten und die Welt anders sahen. Damals hatte sie einen anderen Namen getragen und eine andere Sprache gesprochen.

›Es sind die vier Arten der Frau, mit dem Universum eins zu werden‹, sagten die Stimmen, als wäre es wichtig, dass sie sich an so alte Dinge erinnerte. ›Die Jungfrau hat die Macht des Mannes und der Frau. Sie ist zur Einsamkeit verdammt, aber die Einsamkeit offenbart ihre Geheimnisse. Das ist der Preis, den die Jungfrau zahlen muss – sie braucht niemanden, verzehrt sich in ihrer Liebe zu allen und entdeckt die Weisheit der Welt.‹

Loni schaute auf das Lager hinab. Ja, sie wusste es.

›Und die Märtyrerin‹, fuhren die Stimmen fort. ›Die Märtyrerinnen haben die Kraft derer, denen

Schmerz und Leid nichts anhaben können. Sie geben sich hin, leiden, und durch das Leiden entdecken sie die Weisheit der Welt.‹

Loni schaute wieder auf ihre Hände. Dort umschloss unsichtbar schimmernd der Ring der Märtyrerin einen ihrer Finger.

›Du hättest die Offenbarung der Heiligen wählen können, auch wenn das nicht dein Ring ist‹, sagten die Stimmen. ›Die Heilige hat den Mut derer, für die Geben die einzige Art ist, etwas zu empfangen. Sie ist ein Brunnen ohne Grund, aus dem die Menschen unaufhörlich trinken. Und falls kein Wasser in ihrem Brunnen ist, gibt die Heilige ihr Blut, damit die Menschen immer zu trinken haben. Durch die Hingabe entdeckt die Heilige die Weisheit der Welt.‹

Die Stimmen schwiegen. Loni hörte Talbos Schritte die Steintreppe heraufkommen. Sie wusste, welches ihr Ring in diesem Leben war, weil er derselbe war, den sie schon in anderen Leben getragen hatte, als sie andere Namen trug und andere Sprachen sprach. Bei ihrem Ring wurde die Weisheit der Welt durch die Lust entdeckt.

Aber sie wollte sich nicht daran erinnern. Der Ring der Märtyrerin schimmerte unsichtbar an ihrem Finger.

Talbo kam zu ihr. Und plötzlich, als sie den

Blick zu ihm hob, bemerkte Loni, dass die Nacht magisch leuchtete, als würde die Sonne scheinen.

›Wach auf!‹, sagten die Stimmen.

Es waren andere Stimmen, die sie noch nie zuvor gehört hatte. Sie spürte, wie jemand ihr linkes Handgelenk massierte.

Bernhard Schlink

Die Nacht in Baden-Baden

I

Er nahm Therese mit, weil sie darauf gehofft hatte. Weil sie sich darüber freute. Weil sie in ihrer Freude eine fröhliche Begleiterin war. Weil es keinen guten Grund gab, sie nicht mitzunehmen.

Es war die Premiere seines ersten Stücks. Er sollte in der Loge sitzen und am Schluss auf die Bühne kommen und sich mit den Schauspielern und dem Regisseur beklatschen oder ausbuhen lassen. Er fand zwar, dass er nicht verdiene, für eine Aufführung ausgebuht zu werden, die er nicht inszeniert hatte. Aber er wollte zu gerne auf der Bühne stehen und beklatscht werden.

Er hatte ein Doppelzimmer in Brenner's Park-Hotel gebucht, wo er noch nie gewesen war. Er freute sich auf den Luxus des Zimmers und des Bads und darauf, vor der Premiere noch durch den Park zu schlendern und auf der Veranda zu einem Earl Grey und einem Club Sandwich Platz zu nehmen. Sie fuhren am frühen Nachmittag los, kamen auf der Autobahn trotz des Freitagsverkehrs zügig voran und waren schon um vier Uhr in Baden-Baden. Zuerst badete sie in der Badewanne mit den goldenen Armaturen, dann er. Dann schlenderten sie durch den Park und tranken auf der Veranda nach Earl Grey und Club Sandwich noch Champagner. Das Zusammensein war angenehm entspannt.

Dabei wollte sie mehr von ihm, als er von ihr wollte und als er ihr geben konnte. Ein ganzes Jahr lang hatte sie ihn deshalb nicht sehen mögen, dann aber die gemeinsamen Abende mit Kino oder Theater und Essen vermisst und sich damit abgefunden, dass sie mit einem flüchtigen Kuss an ihrer Haustür endeten. Manchmal kuschelte sie sich im Kino an ihn, und manchmal legte er ihr dann den Arm um die Schultern. Manchmal nahm sie beim Gehen seine Hand, und manchmal hielt er dann ihre Hand fest in seiner. Sah sie darin das Versprechen, es sei zwischen ihnen mehr möglich? Er wollte es nicht genau wissen.

Sie gingen zum Theater und wurden vom Regisseur begrüßt, den Schauspielern vorgestellt und in die Loge geführt. Dann hob sich der Vorhang. Er erkannte sein Stück nicht wieder. Die Nacht, für die ein flüchtiger Terrorist bei seinen Eltern, seiner Schwester und seinem Bruder unterkommt, war

73

auf der Bühne eine Groteske, bei der sich alle lächerlich machten, der Terrorist mit seinen Phrasen, die Eltern mit ihrer ängstlichen Rechtschaffenheit, der geschäftstüchtige Bruder und die moralisierende Schwester. Aber es funktionierte, und nach kurzem Zögern ließ er sich mit den Schauspielern und dem Regisseur auf der Bühne beklatschen.

Therese hatte das Stück nicht gelesen und freute sich unbefangen über seinen Erfolg. Das tat ihm gut. Beim Essen nach der Premiere lächelte sie ihn immer wieder so freundlich an, dass er, der sich bei gesellschaftlichen Ereignissen schwertat, seine Befangenheit verlor. Er merkte, dass der Regisseur sein Stück nicht zur Groteske gewendet, sondern als Groteske aufgefasst hatte. Sollte er akzeptieren, dass er, ohne es zu wissen und zu wollen, eine Groteske geschrieben hatte?

Sie gingen beschwingt zurück ins Hotel. Das Zimmer war für die Nacht gerichtet, die Vorhänge zugezogen und das Bett aufgeschlagen. Er bestellte eine halbe Flasche Champagner, sie setzten sich im Pyjama aufs Sofa, und er ließ den Korken knallen. Es gab nichts mehr zu sagen, aber das machte nichts. Auf der Kommode stand eine CD-Anlage und lagen ein paar CDs, darunter eine mit französischer Akkordeonmusik. Sie kuschelte sich an ihn, und er legte ihr den Arm um die Schultern.

Dann waren die CD und der Champagner zu Ende, und sie gingen ins Bett und drehten einander nach einem flüchtigen Kuss den Rücken zu.

Am nächsten Tag ließen sie sich mit der Heimfahrt Zeit, besuchten in Baden-Baden die Kunsthalle, machten bei einem Winzer Halt und gingen in Heidelberg aufs Schloss. Wieder war das Zusammensein leicht. Wenn er allerdings in der Hosentasche das Telefon fühlte, wurde ihm flau. Er hatte es ausgeschaltet – was mochte sich darauf angesammelt haben?

2

Nichts, wie er am Abend zu Hause feststellte. Seine Freundin Anne hatte ihm keine Nachricht hinterlassen. Ob unter den Anrufen, die er bekommen hatte, auch Anrufe von ihr waren, konnte er nicht sehen; vielleicht war die unterdrückte Nummer ihre, vielleicht nicht.

Er rief sie an. Es tue ihm leid, dass er sie am Abend nicht aus dem Hotel habe anrufen können. Es sei zu spät gewesen. Heute sei er früh aufgebrochen, früher, als er sie habe stören wollen. Ja, und sein Telefon habe er zu Hause vergessen. »Hast du mich zu erreichen versucht?«

»Es war seit Wochen der erste Abend, an dem wir nicht miteinander gesprochen haben. Du hast mir gefehlt.«

»Du mir auch.«

Es stimmte. Die letzte Nacht hatte sich falsch angefühlt. Die Nähe des geteilten Betts war zu viel gewesen. Ihr hatte keine innere Nähe entsprochen, durch Liebe gestiftet oder durch Begierde oder auch durch Sehnsucht nach Wärme oder Furcht vor Einsamkeit. Mit Anne hätte sich das geteilte Bett, mit ihr hätte sich die Nacht richtig angefühlt.

»Wann kommst du?« Sie fragte zärtlich und fordernd.

»Ich dachte, du kommst.« Hatte sie nicht versprochen, nach dem Kurs, den sie in Oxford gab, ein paar Wochen bei ihm zu verbringen – Wochen, vor denen er ebenso Angst hatte, wie er sich auf sie freute?

»Ja, aber das sind noch vier Wochen.«

»Ich versuche, am übernächsten Wochenende zu kommen.«

Sie schwieg. Als er fragen wollte, ob es am übernächsten Wochenende ein Problem gebe, sagte sie: »Du klingst anders.«

»Anders?«

»Anders als sonst. Was stimmt nicht?«

»Alles stimmt. Vielleicht habe ich nach der Premiere zu lange gefeiert und bin zu spät ins Bett und zu früh raus.«

»Was hast du heute den ganzen Tag gemacht?«

»Ich habe in Heidelberg recherchiert. Ich will dort eine Szene spielen lassen.« Ihm fiel so schnell nichts anderes ein. Jetzt musste er also eine Szene seines nächsten Stücks in Heidelberg spielen lassen.

Wieder schwieg sie, ehe sie sagte: »Das tut uns nicht gut. Du dort und ich hier. Warum schreibst du nicht hier, solange ich hier unterrichte?«

»Ich kann nicht, Anne, ich kann nicht. Ich treffe den Intendanten vom Konstanzer Theater und den Lektor vom Theaterverlag und habe Steffen versprochen, im Wahlkampf zu helfen. Du denkst, dass ich, anders als du, mir alles einrichten kann, wie ich will. Aber ich kann nicht alles stehen und liegen lassen.« Er ärgerte sich über sie.

»Wahlkampf …«

»Niemand hat dich gezwungen …« Er wollte sagen, niemand habe sie gezwungen, den Lehrauftrag in Oxford anzunehmen. Aber ihr Feld war nun einmal das schmale Feld der feministischen Rechtstheorie, mit dem sie keine feste Stelle, sondern nur Lehraufträge bekam. Sie hätte ihr Feld erweitern können. Aber sie wollte nichts anderes machen, und die Nachfrage nach ihren Kursen zeigte ihm, dass sie, was sie machte, gut machte. Nein, er wollte nicht gemein werden. »Wir müssen besser planen. Wir müssen einander sagen, wenn jemand was von einem von uns will. Wir müssen absprechen, was wir annehmen und was wir ablehnen.«

»Kannst du schon am Mittwoch kommen?«
»Ich versuch's.«
»Ich liebe dich.«
»Ich liebe dich auch.«

3

Er hatte ein schlechtes Gewissen. Er hatte Anne angelogen, hatte sich über sie geärgert, wäre beinahe gemein zu ihr gewesen und war froh, dass das Telefongespräch mit ihr vorbei war. Als er auf den Balkon trat und merkte, wie sommerwarm und -ruhig die Stadt war, setzte er sich. Manchmal fuhr auf der Straße unter dem Balkon ein Auto vorbei, manchmal klangen Schritte zu ihm hoch. Er hatte auch ein schlechtes Gewissen, weil er Therese nicht anrief und fragte, ob sie alles gut überstanden und alles gut angetroffen habe.

Dann war er das schlechte Gewissen leid. Er schuldete Therese nichts. Was er Anne verschwieg, musste er ihr verschweigen, weil sie darauf übertrieben eifersüchtig reagieren würde. Frühere Freundinnen hatten sich nicht daran gestört, wenn sie hörten, dass er auf einer Reise oder bei einem Besuch das Bett mit einer anderen Frau geteilt hatte, solange es nur das Bett war. Anne wäre außer sich. Warum musste sie wegen einer anderen Frau so ein Aufheben machen! Und dass sie meinte, er schreibe das Gesetz seines Lebens selbst und sei jederzeit verfügbar, während sie dem Gesetz ihrer Karriere gehorchen müsse – wie sollte er sich darüber nicht ärgern? Sie hatte ihren Weg gewählt wie er seinen.

Er war froh, dass das Telefongespräch vorbei war, und lebte doch schon in der Erwartung des nächsten. Sie kannten und liebten sich seit sieben Jahren und hatten es noch immer nicht geschafft, dem gemeinsamen Leben eine verlässliche Gestalt zu geben. Anne hatte in Amsterdam eine Wohnung und einen Lehrauftrag, von dem sie nicht leben, den sie aber jederzeit ruhen lassen konnte, um in England oder Amerika oder Kanada oder Australien oder Neuseeland zu unterrichten. Dann besuchte er sie dort und blieb mal länger und mal kürzer. Dazwischen war sie für Tage oder Wochen bei ihm in Frankfurt und er für Tage oder Monate bei ihr in Amsterdam. Er fand sie in Frankfurt zu anspruchsvoll und sie ihn zu kleinlich, und in Amsterdam gab es weniger Spannungen, sei's weil sie großzügiger als er, sei's weil er bescheidener als sie war. Ein gutes Drittel des Jahres verbrachten sie gemeinsam. Für den Rest des Jahres war Annes Leben unstet, ein Leben aus Koffern und in Hotels, während seines in ruhiger Bahn lief – mit Veranstaltungen und Verabredungen, mit Schriftstellerverband und Partei, mit Freunden und, ja, Therese.

Nicht dass ihm das alles viel bedeutet hätte. Er war froh über jede Veranstaltung, die ausfiel, jede Verabredung, die abgesagt wurde, jede politische Einladung und Aufforderung, die nicht den Weg in seinen Briefkasten oder seine Inbox fand. Aber sich aus allem rausreißen und zu Anne nach Amsterdam und mit ihr in die Welt ziehen – nein, das ging nicht.

Es ging nicht, obwohl sie ihm oft körperlich schmerzhaft fehlte. Wenn er glücklich war und das Glück mit ihr hätte teilen wollen, wenn er traurig war und ihren Trost gebraucht hätte, wenn er mit ihr nicht über seine Gedanken und Projekte reden konnte. Wenn er alleine im Bett lag. Dabei redeten sie, wenn sie zusammen waren, kaum über seine Gedanken und Projekte, und beim Trösten war sie nicht so einfühlsam und im Glück nicht so überschwenglich, wie er sich's gewünscht hätte. Sie war eine entschlossen zupackende Frau, und als er sie das erste Mal sah, sah er diese zupackende Entschlossenheit in ihrem schönen bäuerlichen Gesicht mit den vielen Sommersprossen und dem rotblonden Haar und mochte sie sofort. Er mochte auch ihren schweren, kräftigen, verlässlichen Körper. Mit ihm einzuschlafen und aufzuwachen und ihn nachts im Bett zu finden – das war, wenn sie zusammen waren, genauso schön, wie er es fantasierte, wenn sie getrennt waren.

Sosehr sie sich nacheinander sehnten, so schön sie es miteinander hatten – sie hatten zerstörerische Auseinandersetzungen. Weil er sich mit dem mehr getrennten als gemeinsamen Leben abgefunden hatte und sie nicht. Weil er nicht so beweglich und verfügbar war, wie er ihrer Meinung nach hätte sein können. Weil sie bei ihrer Karriere nicht die Kompromisse machte, die sie seiner Meinung nach hätte machen können. Weil sie in seinen Sachen spionierte. Weil er log, wenn kleine Lügen große Konflikte zu vermeiden versprachen. Weil er ihr nichts recht machen konnte. Weil sie sich oft respekt- und lieblos behandelt fühlte. Wenn sie wütend wurde, schrie sie ihn an und zog er sich in sich zurück. Manchmal stahl sich unter ihrem Geschrei ein täppisches Grinsen auf sein hilfloses Gesicht, das sie noch wütender machte.

Aber die Wunden der Auseinandersetzungen heilten rascher als die Schmerzen der Sehnsucht. Nach einer Weile blieb von den Auseinandersetzungen nur die Erinnerung, dass da etwas war, eine heiße Quelle, die immer wieder einmal blubberte und zischte und dampfte, die sie sogar tödlich verbrühen und verbrennen würde, wenn sie in sie hineinfielen. Aber sie konnten vermeiden, in sie hineinzufallen. Vielleicht würde sich eines Tages auch herausstellen, dass die heiße Quelle nur ein Spuk war. Eines Tages? Vielleicht schon beim nächsten Wiedersehen, nach dem sie sich sehnten und auf das sie sich freuten!

4

Er flog nicht am Mittwoch, sondern erst am Freitag. Als er am Montag beim italienischen Restaurant um die Ecke zu Abend aß, setzte sich ein Herr zu ihm, der eine Pizza bestellt hatte und abholen wollte. Sie kamen ins Gespräch, der andere stellte sich als Produzent vor, und sie redeten über Stoffe und Stücke und Filme. Beim Aufbruch lud der andere ihn für Donnerstag auf einen Kaffee in sein Büro ein. Es war sein erster Kontakt mit einem Produzenten; er hatte schon lange von Filmen geträumt, aber niemanden gehabt, dem er seine Träume anbieten konnte. Also buchte er von Mittwoch auf Freitag um.

Er flog nicht mit einem Drehbuch- oder Treatmentauftrag in der Tasche nach England, wie er gehofft hatte. Immerhin hatte der Produzent ihn eingeladen, zu dem einen oder anderen der Stoffe, über die sie gesprochen hatten, ein Exposé zu schreiben. War das schon ein Erfolg? Er wusste es nicht, er kannte sich in der Welt des Films nicht aus. Aber er saß gutgelaunt im Flugzeug und kam gutgelaunt an.

Er sah Anne nicht und rief sie an. Eine Stunde von Oxford nach Heathrow, eine Stunde auf dem Flughafen, eine Stunde zurück – sie musste einen Aufsatz fertigschreiben und war am Schreibtisch geblieben. Er wolle doch auch nicht, dass sie den ganzen Abend arbeiten müsse. Nein, das wollte er nicht. Aber er fand, sie hätte sich früher an den Aufsatz machen können. Er sagte es nicht.

Das College hatte ihr eine kleine, zweistöckige Wohnung überlassen. Er hatte einen Schlüssel, schloss auf und ging hinein. »Anne!« Er stieg die Treppe hoch und fand sie am Schreibtisch. Sie blieb sitzen, schlang die Arme um seinen Bauch und lehnte den Kopf an seine Brust. »Gib mir noch eine halbe Stunde. Machen wir danach einen Spaziergang? Ich bin seit zwei Tagen nicht aus dem Haus gekommen.«

Er wusste, dass es bei der halben Stunde nicht bleiben würde, packte aus, richtete sich ein und machte Notizen über das Gespräch mit dem Produzenten. Als sie schließlich durch den Park an die Themse spazierten, stand die Sonne schon tief, leuchtete der Himmel in dunklem Blau, warfen die Bäume lange Schatten auf den kurzgeschorenen Rasen und hatten die Vögel das Singen bereits eingestellt. Eine geheimnisvolle Stille lag über dem Park, als sei er aus dem Getriebe der Welt gefallen.

Lange redete keiner von beiden. Dann fragte Anne: »Mit wem warst du in Baden-Baden?«

Was fragte sie da? Die Nacht in Baden-Baden, das Telefongespräch am nächsten Abend, die kleine Lüge, das schlechte Gewissen – er hatte gedacht, es liege alles hinter ihm.

»Mit wem?«

»Wie kommst du darauf, dass ich …«

»Ich habe in ›Brenner's Park-Hotel‹ angerufen. Ich habe in vielen Hotels angerufen, aber im Brenner's haben sie gefragt, ob sie die Herrschaften wecken sollen.«

Auf welcher Seite des Betts hatte das Telefon gestanden? Beim Gedanken, sie hätte sich durchstellen lassen, bekam er Panik. Aber sie hatte sich nicht durchstellen lassen. Wie redeten sie in ›Brenner's Park-Hotel‹? Sollen wir die Herrschaften wecken? »Die Herrschaften – das sagen die so, ob es um mehrere geht oder nur um einen. Es ist eine altertümliche Ausdrucksweise, die vornehme Hotels distinguiert finden. Warum hast du dich nicht in mein Zimmer durchstellen lassen?«

»Mir hat's gelangt.«

Er legte den Arm um sie. »Unsere sprachlichen Missverständnisse! Erinnerst du dich noch, wie ich dir geschrieben habe, ich würde gerne mit dir schmusen, und du dachtest, I wanted to schmooze with you und wollte dir dummes Gewäsch erzählen? Oder wie du mir gesagt hast, du kämst in principle zum Familientreffen, und ich es als grundsätzliche Zusage verstanden habe und du nur gemeint hast, dass du dir's überlegen willst?«

»Warum hast du mir nicht gesagt, dass du in ›Brenner's Park-Hotel‹ abgestiegen bist? Ich habe sie gefragt, sie waren voll. Du musst also schon vorher gebucht haben. Sonst sagst du mir, wo du übernachtest, wenn du es vorher weißt.«

»Ich habe es vergessen. Ich hatte schon vor Wochen gebucht, habe mich am Freitag einfach ins Auto gesetzt und in Baden-Baden die Unterlagen mit der Adresse und der Zeit der Vorstellung und der Buchung angeschaut. Weil ich spät dran war, konnte ich nur noch einchecken und mich umziehen und dich nicht mehr anrufen. Nach dem Stück und der Feier wollte ich dich nicht aus dem Bett klingeln.«

»Ein Zimmer um die vierhundert Euro – das machst du doch sonst nicht.«

»Brenner's ist was Besonderes und eine Nacht dort ein alter Traum von mir. Ich …«

»Und dass du diesen alten Traum von dir gebucht hattest, hast du vergessen? Warum lügst du mich an?«

»Ich lüge dich nicht an.« Er erzählte ihr von dem Stress der letzten Wochen. Dass er auch sonst dies und das vergessen hatte, auch Sachen, die ihm wichtig waren und die er gerne gemacht hätte.

Sie blieb misstrauisch. »›Brenner's‹ ist ein alter Traum von dir, und du kommst so spät an und brichst so früh auf, dass du gar nichts vom Hotel hast? Das macht doch keinen Sinn.«

»Nein, es macht keinen Sinn. Aber ich war auch nicht bei Sinnen in den letzten Wochen.« Er redete weiter von Stress und Druck, Verträgen und Terminen, Treffen und Telefonaten. Er redete sich in eine Darstellung seines Lebens in den letzten Wochen, die übertrieben, aber nicht völlig abwegig war und die nicht zu glauben Anne keinen Grund und kein Recht hatte. Je länger er redete, desto sicherer wurde er. War es nicht empörend, dass Anne ohne Grund und Recht ihm misstraute und an ihm zweifelte? Und war es nicht lächerlich, dass sie ihn wegen einer Nacht mit einer Frau, mit der er nicht geschlafen und der er sich nicht einmal wirklich nahe gefühlt hatte, fertigmachte? Fertigmachte in einem Park, der sommerwarm und abendstill und unter dem Leuchten der ersten Sterne wie verwunschen lag?

5

Schließlich ging dem Streit die Kraft aus wie dem Auto das Benzin. Wie das Auto stockte er, ruckte, stockte wieder und blieb stehen. Die beiden gingen essen und machten Pläne. Mussten sie die Wochen, die Anne zu ihm kommen konnte, in Frankfurt verbringen? Konnten sie nicht nach Sizilien oder in die Provence oder in die Bretagne reisen, dort ein Haus oder eine Wohnung mieten und Tisch an Tisch schreiben?

In der Wohnung nahmen sie die Matratze vom ausgeleierten, durchhängenden Rost, legten sie auf den Boden und liebten sich. Mitten in der Nacht wachte er von Annes Weinen auf. Er nahm sie in die Arme. »Anne«, sagte er, »Anne.«

»Ich muss die Wahrheit wissen, immer. Ich kann nicht mit Lügen leben. Mein Vater hat meine Mutter belogen, und er hat sie betrogen, und er hat meinem Bruder und mir Versprechungen über Versprechungen gemacht, die er nicht gehalten hat. Wenn ich ihn gefragt habe, warum, wurde er wütend und hat mich angeschrien. Meine ganze Kindheit hatte ich keinen sicheren Boden unter den Füßen. Du musst mir die Wahrheit sagen, damit ich sicheren Boden unter den Füßen habe. Verstehst du das? Verspricht du es mir?«

Einen Augenblick lang dachte er daran, Anne die Wahrheit über die Nacht in Brenner's Park-Hotel zu sagen. Aber was für ein Theater würde das geben! Und würde die Wahrheit aufwiegen, dass er Anne eine ganze Stunde, ach was, zwei Stunden lang angelogen hatte? Und würde das späte Bekenntnis der Nacht mit Therese nicht mehr Gewicht geben, als sie hatte? In Zukunft, ja, in Zukunft würde er Anne die Wahrheit sagen. Für die Zukunft wollte und konnte er es ihr versprechen. »Es ist alles gut, Anne. Ich verstehe dich. Du musst nicht mehr weinen. Ich verspreche dir, die Wahrheit zu sagen.«

6

Drei Wochen später fuhren sie in die Provence. In Cucuron fanden sie am Marktplatz ein billiges, altes Hotel, in dem man ihnen das große Zimmer mit großer Loggia im obersten Stock gerne für vier Wochen überließ. Es gab kein Frühstück und kein Abendessen und kein Internet, und die Betten wurden nur gelegentlich gemacht. Aber sie bekamen einen zweiten Tisch und einen zweiten Stuhl und konnten im Zimmer oder auf der Loggia Tisch an Tisch arbeiten, wie sie es sich vorgestellt hatten.

Sie fingen voller Eifer an. Aber dann schien die Arbeit jeden Tag weniger drängend, weniger wichtig zu werden. Nicht weil es zu heiß gewesen wäre; die dicken Wände und dicken Decken des alten Baus hielten das Zimmer und die Loggia kühl. Die Arbeit – bei ihr an einem Buch über Geschlechterdifferenz und Äquivalenzrechte und bei ihm an einem Stück über die Finanzkrise – stimmte einfach nicht. Am rechteckigen, mauergefassten Dorfteich vor der Bar de l'Étang sitzen, einen Espresso trinken und in die Platanen und aufs Wasser schauen stimmte. Oder in die Berge fahren. Oder auf einem Weingut neue Rebsorten kennenlernen. Oder auf dem Friedhof von Lourmarin Blumen auf das Grab von Camus legen. Oder in Aix durch die Stadt bummeln und sich in der Bibliothek um die E-Mails kümmern. Ohne E-Mails hätte der Bummel noch besser gestimmt, aber Anne wartete auf eine Zusage für eine Stelle und er auf einen Auftrag für ein Stück.

»Es ist das Licht«, sagte er. »In diesem Licht lässt sich's auf dem Feld oder im Weinberg oder im Olivenhain arbeiten, und vielleicht lässt sich's sogar schreiben, aber über die Liebe und das Gebären und Sterben und nicht über Banken und Börsen.«

»Das Licht und der Geruch. Wie intensiv alles riecht! Der Lavendel und die Pinien und der Fisch und der Käse und die Früchte auf dem Markt. Die Gedanken, die ich meinen Lesern in die Köpfe bringe – was sind sie gegen diesen Geruch?«

»Ja«, lachte er, »aber mit dem Geruch in der Nase will niemand mehr die Welt ändern. Deine Leser sollen die Welt ändern.«

»Sollen sie das?«

Sie saßen auf der Loggia, die Laptops vor sich. Er sah sie erstaunt an. Wollte sie nicht die Welt ändern, und lehrte und schrieb sie nicht, damit ihre Studenten und Leser sie ebenfalls ändern wollten? Hatte sie nicht deshalb abgelehnt, Kompromisse zu machen und ihre Karriere den Bedürfnissen der Universitäten anzupassen? Sie sah über die Dächer, Tränen in den Augen. »Ich möchte ein Kind.«

Er stand auf, ging zu ihr, hockte sich neben ihren Stuhl und lächelte sie an. »Das lässt sich machen.«

»Wie soll das gehen? Wie soll ich bei meinem Leben ein Kind haben?«

»Du ziehst zu mir. Für die ersten Jahre lässt du das Unterrichten und konzentrierst dich aufs Schreiben. Danach sehen wir weiter.«

»Danach laden mich die Universitäten nicht mehr ein. Sie laden mich ein, weil ich verlässlich verfügbar bin. Und ich bin nicht so gut im Schreiben wie im Unterrichten. An meinem Buch arbeite ich seit Jahren.«

»Die Universitäten laden dich ein, weil du eine großartige Lehrerin bist. Und damit sie dich während der ersten Jahre nicht vergessen, ist es vielleicht gar nicht schlecht, wenn du statt des Buchs ein paar Aufsätze schreibst. Weißt du, in ein paar Jahren sieht die Welt schon wieder anders aus und gibt es neue Berufsprofile und neue Studiengänge und für dich neue Stellen. Es verändert sich so vieles so schnell.«

Sie zuckte die Schultern. »Es vergisst sich auch schnell.«

Er legte die Arme um sie. »Ja und nein. Hast

du mir nicht erzählt, dass die Dekanin in Williams dich eingeladen hat, weil ihr vor zwanzig Jahren im selben Seminar gesessen seid und sie von dir beeindruckt war? Dich vergisst niemand so schnell.«

Am Abend fanden sie in Bonnieux ein Restaurant mit Terrasse und weitem Blick ins Land. Die große Gruppe australischer Touristen, die fröhlich lärmend die meisten Tische besetzt hatte, brach früh auf, und in der Dunkelheit waren sie für sich. Unter ihrem erstaunten, fragenden Blick bestellte er Champagner.

»Worauf stoßen wir an?« Sie drehte das Glas zwischen Daumen und Zeigefinger.

»Auf unsere Hochzeit!«

Sie drehte weiter. Dann sah sie ihn mit traurigem Lächeln an. »Ich habe immer gewusst, was ich wollte. Ich weiß auch, dass ich dich liebe. Wie ich weiß, dass du mich liebst. Und ich will Kinder und will sie mit dir. Und Kinder und heiraten gehören zusammen. Aber wir haben heute das erste Mal darüber gesprochen – lass mir ein bisschen Zeit.« Ihr Lächeln wurde fröhlich. »Magst du mit mir auf deinen Antrag anstoßen?«

7

Ein paar Tage später gingen sie am Nachmittag ins Bett und liebten sich und schliefen ein. Als er aufwachte, war Anne weg. Auf einem Zettel las er, dass sie losgefahren war und in Aix in der Bibliothek nach ihren E-Mails sah.

Das war um vier. Um sieben war er verwundert, dass sie noch nicht wieder zurück war, um acht besorgt. Sie hatten ihre Mobiltelefone zwar auf die Reise mitgenommen, aber abgeschaltet und in die Kommode gelegt. Er sah nach, da lagen sie. Um neun hielt er es in der Wohnung nicht mehr aus und ging zum Dorfteich, an dem sie ihr Auto parkten.

Es stand, wo es immer stand. Er sah sich um und sah Anne; sie saß an einem Tisch vor der dunklen, geschlossenen Bar de l'Étang und rauchte. Sie hatte das Rauchen vor Jahren aufgegeben.

Er ging hinüber und blieb vor dem Tisch stehen. »Was ist los? Ich habe mir Sorgen gemacht.«

Sie sah nicht auf. »Du warst mit Therese in Baden-Baden.«

»Wie kommst du …«

Jetzt sah sie ihn an. »Ich habe deine E-Mails gelesen. Die Bestellung des Doppelzimmers. Die Verabredung mit Therese. Den Gruß danach: Es war schön mit dir, und ich hoffe, du hast die Reise gut überstanden und zu Hause alles gut angetroffen.« Sie weinte. »Es war schön mit dir.«

»Du hast in meinen E-Mails spioniert? Spionierst du auch in meinem Schreibtisch und meinem Schrank? Glaubst du, du hast das Recht …«

»Du bist ein Lügner, ein Betrüger, du machst, was dir passt – ja, ich habe jedes Recht, mich vor dir zu schützen. Ich muss mich vor dir schützen. Von dir kriege ich die Wahrheit nicht, ich muss sie selbst finden.« Sie weinte wieder. »Warum hast du das gemacht? Warum hast du mir das angetan? Warum hast du mit ihr geschlafen?«

»Ich habe nicht mit ihr geschlafen.«

Sie schrie ihn an. »Hör endlich auf, mich anzulügen, hör endlich auf. Du fährst mit dieser Frau in ein romantisches Hotel und teilst das Zimmer und das Bett mit ihr und willst mich für dumm verkaufen? Zuerst denkst du, ich bin zu dumm, hinter deine Lügen zu kommen, und jetzt denkst du, ich bin so dumm, dass ich mir die Wahrheit wieder ausreden lasse? Du Schwätzer, du Ficker, du Dreck, du …« Sie zitterte vor Empörung.

Er setzte sich ihr gegenüber. Er wusste, dass es ihm egal sein sollte, ob Fenster aufgingen und Leute rausschauten und sie sich zum Gespött machten. Aber es war ihm nicht egal. Sich anschreien lassen war erniedrigend genug, sich vor anderen anschreien lassen war doppelt erniedrigend. »Kann ich was sagen?«

»Kann ich was sagen?« Sie äffte ihn nach. »Der kleine Bub fragt die Mama, ob er was sagen darf? Weil die Mama ihn ständig unterdrückt und ihm nicht einmal erlaubt, was zu sagen? Spiel nicht das Opfer! Übernimm endlich Verantwortung für das, was du sagst und tust! Du bist ein Lügner und ein Betrüger – steh wenigstens dazu!«

»Ich bin kein …«

Sie schlug ihm mit der Hand über den Mund, und weil sie in seinen Augen einen Abscheu las, der sie erschreckte, schrie sie weiter. Sie beugte sich vor, ihre Spucke traf ihn ins Gesicht, und dass er zurückwich, machte sie noch wütender und noch lauter. »Du Dreck, du Arsch, du Nichts! Nein, du kannst nichts sagen. Wenn du redest, lügst du, und weil ich deine Lügen satthabe, habe ich auch dein Reden satt. Hast du das verstanden?«

»Ich …«

»Hast du das verstanden?«

»Es tut mir leid.«

»Was tut dir leid? Dass du ein Lügner und ein Betrüger bist? Dass du mit anderen Frauen …«

»Ich habe nichts mit anderen Frauen gehabt. Was mir leidtut, ist …«

»Fick dich selbst mit deinen Lügen!« Sie stand auf und ging.

Zuerst wollte er ihr folgen, dann blieb er sitzen. Ihm fiel die Autofahrt ein, auf der ihm eine Freundin eröffnete, dass sie neben ihm noch andere Männer hatte. Sie fuhren auf einer kurvigen Straße durch das Elsass, und nach ihrer Eröffnung fuhr er einfach geradeaus weiter, von der Straße auf einen Waldweg, vom Waldweg durch Gesträuch vor einen Baum. Es passierte nichts, es ging nur nicht weiter. Er legte die Hände auf das Lenkrad und den Kopf auf die Hände und war traurig. Er hatte nicht das Bedürfnis, seine Freundin anzugreifen. Er hoffte, dass sie, was sie getan hatte, ihm so erklären würde, dass er es verstünde. Dass er damit seinen Frieden machen könnte. Warum ließ Anne sich nichts erklären?

8

Er stand auf und ging an den Teich. Es begann zu regnen; er hörte die ersten Tropfen leise ins Wasser klatschen und sah sie die Fläche kräuseln, noch ehe er sie spürte. Dann war er auch schon nass. Der Regen rauschte in den Platanen und auf dem Kies, es schüttete, als wolle der Regen alles hinwegwaschen, was keinen Bestand verdiente.

Er wäre gerne mit Anne im Regen gestanden, hätte gerne von hinten die Arme um sie gelegt und unter den nassen Kleidern ihren Körper gespürt. Wo mochte sie sein? War sie auch draußen? Genoss sie den Regen ebenso wie er, und verstand sie, dass ihr dummer Streit keinen Bestand vor ihm hatte? Oder hatte sie eine Taxe bestellt und packte im Hotel ihre Sachen?

Nein, als er ins Hotel kam, waren ihre Sachen noch da. Sie war nicht da. Er zog seine nassen Kleider aus und legte sich ins Bett. Er wollte wach bleiben, auf sie warten, mit ihr reden. Aber draußen rauschte der Regen, und er war müde vom Tag und erschöpft vom Streit und schlief ein. Mitten in der Nacht wachte er auf. Der Mond schien ins Zimmer. Neben ihm lag Anne. Sie lag auf dem Rücken, die Arme hinter dem Kopf verschränkt und die Augen offen. Er stützte sich auf und sah ihr ins Gesicht. Sie sah ihn nicht an. Auch er legte sich auf den Rücken.

»Das Gefühl, dass ich einer Frau nicht widersprechen, ihr nichts abschlagen darf, dass ich ihr gegenüber aufmerksam und zuvorkommend sein, mit ihr flirten muss – ich denke, es hat mit meiner Mutter zu tun. Ich habe es immer, und ich verhalte mich automatisch so, ob mir die Frau gefällt oder nicht, ob ich was von ihr will oder nicht.

Dadurch wecke ich Erwartungen, die ich nicht erfüllen kann; eine Weile versuche ich's trotzdem, aber dann wird es mir zu viel, und ich stehle mich davon, oder die Frau wird es leid und zieht sich zurück. Das ist ein dummes Spiel, und ich sollte lernen, es zu lassen. Sollte ich mit einem Therapeuten über mich und meine Mutter reden? Wie auch immer – seine Grenze hat das Spiel nicht erst beim Zusammen-Schlafen, sondern schon bei Zärtlichkeiten. Vielleicht lege ich den Arm um die Frau oder drücke ihr die Hand, aber das ist auch alles. Ob auch die Grenze mit meiner Mutter zu tun hat? Ich will der Frau nichts schulden, und wenn ich mit ihr schliefe, würde ich ihr was schulden. Ich habe in meinem ganzen Leben nur mit Frauen geschlafen, die ich geliebt oder in die ich mich immerhin verliebt hatte. Ich liebe Therese nicht und bin auch nicht verliebt in sie. Es konnte schön mit ihr sein, auf eine Weise leicht, anspruchslos, entspannt, auf die es zwischen uns fast nie leicht ist. Aber ich habe mich nie gefragt, ob's das wäre und ob ich dich verlassen und mit ihr leben wollte.

Das ist das eine, was ich dir sagen wollte. Das andere ist, dass es …«

Sie unterbrach ihn. »Was habt ihr am nächsten Tag gemacht?«

»Wir waren in Baden-Baden in der Kunsthalle,

bei einem Winzer und in Heidelberg auf dem Schloss.«

»Warum hast du sie von hier aus angerufen?«

»Wie kommst du …« Ihm fiel ein, dass er ebenso angesetzt hatte, als sie ihn nach der Reise mit Therese gefragt hatte, und ebenso wurde er unterbrochen.

»Ich habe es auf deinem Telefon gesehen. Du hast sie vor drei Tagen angerufen.«

»Sie hatte eine Biopsie wegen Verdachts auf Brustkrebs, und ich habe sie gefragt, wie es war.«

»Ihre Brüste …« Sie sagte es, als schüttele sie den Kopf. »Weiß sie, dass du mit mir hier bist? Weiß sie überhaupt, dass wir zusammen sind? Seit sieben Jahren? Was weiß sie von mir?«

Er hatte Anne vor Therese nicht verschwiegen, aber das Nähere im Ungefähren gelassen. Wenn er zu ihr fuhr, fuhr er nach Amsterdam oder London oder Toronto oder Wellington, um dort zu schreiben. Er erwähnte, dass er Anne dort traf, und schloss nicht aus, dass er dort mit ihr lebte, stellte es aber auch nicht klar. Er redete mit Therese nicht über die Schwierigkeiten, die er mit Anne hatte, und sagte sich, das wäre Verrat. Er redete aber auch nicht über das Glück mit Anne. Er sagte Therese, dass er sie, so gerne er sie habe, nicht liebe, aber er sagte ihr nicht, dass er Anne liebte. Umgekehrt hatte er auch Therese nicht vor Anne verschwiegen. Allerdings hatte er ihr auch nicht gesagt, wie oft er sie sah.

Richtig war das nicht, er wusste es und fühlte sich manchmal wie ein Bigamist, der die eine Familie in Hamburg und die andere in München hat. Wie ein Bigamist? Das war denn doch zu streng. Er präsentierte niemandem ein falsches Bild. Er präsentierte Skizzen statt Bilder, und Skizzen sind nicht falsch, weil sie bloße Skizzen sind. Zum Glück hatte er Therese gesagt, dass auch Anne in der Provence sein würde. »Sie weiß, dass wir seit Jahren zusammen sind und dass wir zusammen hier sind. Was sie sonst weiß – ich rede mit Freunden und Bekannten nicht viel über dich.«

Anne entgegnete nichts. Er wusste nicht, ob das ein gutes oder ein schlechtes Zeichen war, aber nach einer Weile ließ seine Spannung nach. Er merkte, wie müde er war. Er kämpfte, um wach zu bleiben und zu hören, was Anne noch sagen mochte. Ihm fielen die Augen zu, und zuerst dachte er, er könne auch mit geschlossenen Augen wach bleiben, dann merkte er, dass er einschlief, nein, dass er schon eingeschlafen und wieder aufgewacht war. Was hatte ihn geweckt? Hatte Anne etwas gesagt? Er stützte sich wieder auf; sie lag mit offenen Augen neben ihm, sah ihn aber wieder nicht an. Der Mond schien nicht mehr ins Zimmer.

Dann redete sie. Draußen graute schon der Tag, er war also doch eingeschlafen. »Ich weiß nicht, ob ich, was geschehen ist, wegstecken kann. Aber ich weiß, dass ich es nicht wegstecken kann, wenn du mir weiter vormachen willst, da sei nichts gewesen. Es sieht aus wie eine Ente, es quakt wie eine Ente, und du willst mir weismachen, es sei ein Schwan? Ich hab deine Lügen satt, ich hab sie satt, ich hab sie satt. Wenn ich bei dir bleiben soll, dann nur in der Wahrheit.« Sie schlug die Bettdecke zurück und stand auf. »Ich halte es für das Beste, wenn wir uns erst heute Abend wiedersehen. Ich würde das Zimmer und Cucuron gerne für mich haben. Nimm das Auto, und fahr weg.«

9

Als sie im Badezimmer war, zog er sich an und ging. Die Luft war noch kühl, die Straßen waren noch leer, nicht einmal der Bäcker und das Café hatten auf. Er setzte sich ins Auto und fuhr los.

Er fuhr zu den Bergen des Lubéron und nahm an den Gabelungen und Kreuzungen einfach die Straße, die höher in die Berge zu führen versprach.

Als es nicht höher ging, stellte er das Auto ab und folgte eingefahrenen, zugewachsenen Wagenspuren über die Höhe und entlang dem Hang.

Warum sagte er nicht einfach, er habe mit Therese geschlafen? Was war es, das sich in ihm so dagegen sträubte? Dass es nicht die Wahrheit war? Er hatte sich sonst mit dem Lügen leichtgetan, wenn es galt, einen Konflikt zu vermeiden. Warum tat er sich jetzt schwer? Weil er sonst die Welt nur ein bisschen gefälliger machte und jetzt sich selbst schlechter machen sollte, als er war?

Ihm kam in den Sinn, wie seine Mutter ihm als kleinem Jungen, wenn er etwas getan hatte, was er nicht hätte tun sollen, keine Ruhe ließ, bis er die schlechten Wünsche bekannte, die ihn zur schlechten Tat getrieben hatten. Später las er über das Ritual von Kritik und Selbstkritik in der Kommunistischen Partei, bei dem, wer von der Linie der Partei abgewichen war, bearbeitet wurde, bis er seine bürgerlichen Neigungen bereute – so war das, was seine Mutter mit ihm gemacht hatte, und so war, was Anne jetzt mit ihm machte. Hatte er in Anne seine Mutter wieder gesucht und gefunden?

Also kein falsches Bekenntnis. Schluss mit Anne. Stritten sie nicht ohnehin zu oft? Hatte er nicht satt, dass sie ihn anschrie? Satt, dass sie in seinem Laptop und Telefon und Schreibtisch und

Schrank spionierte? Satt, dass sie erwartete, wenn sie ihn brauche, müsse er für sie da sein? War ihm nicht auch Annes Innigkeit zu viel? So schön es war, mit ihr zu schlafen – musste es so gefühls- und bedeutungsschwer sein? Könnte es mit einer anderen leichter, spielerischer, körperlicher sein? Und die Reisen – am Anfang hatte es seinen Reiz gehabt, im Frühjahr drei, vier Wochen in einem College im amerikanischen Westen und im Herbst in einer Universität an der australischen Küste zu verbringen und dazwischen mehrere Monate in Amsterdam zu leben, jetzt war es ihm eigentlich lästig. Die Brötchen mit frischem Hering, die es in Amsterdam an Straßenständen zu kaufen gab, waren lecker. Aber sonst?

Er kam an den Grundmauern eines Stalls oder einer Scheune vorbei und setzte sich. Wie hoch in den Bergen er war! Vor ihm neigte sich ein mit Oli- venbäumen bewachsener Abhang in ein flaches Tal, dahinter lagen niedrige Berge, dahinter die Ebene mit kleinen Städten, von denen eine Cucuron sein mochte. Ob von hier bei klarem Wetter das Meer zu sehen war? Er hörte das Zirpen der Zikaden und das Blöken von Schafen, nach denen er vergebens Ausschau hielt. Die Sonne stieg und wärmte seine Glieder und ließ den Rosmarin duften.

Anne. Was auch immer nicht mit ihr stimmte –

wenn sie sich am Nachmittag liebten, zuerst im hellen Tageslicht und dann noch mal in der Dämmerung, konnten sie sich nicht satt aneinander sehen und nicht satt aneinander fühlen, und wenn sie erschöpft und befriedigt beieinanderlagen, machte das Reden sich von selbst. Und wie gerne er sie schwimmen sah, in einem See oder im Meer, kompakt und kräftig und geschmeidig wie ein Seeotter. Wie gerne er sie mit Kindern und Hunden spielen sah, welt- und selbstvergessen, dem Augenblick hingegeben. Wie glücklich er war, wenn sie sich auf einen Gedanken von ihm einließ und mit Leichtigkeit und Sicherheit den Punkt fand, an dem er sich verrannt hatte. Wie stolz er war, wenn er mit ihr unter ihren oder seinen Freunden war und sie mit ihrem Geist und ihrem Witz funkelte. Wie geborgen er sich fühlte, wenn sie einander hielten.

Ihm fiel ein Bericht über deutsche, japanische und italienische Soldaten in russischer Kriegsgefangenschaft ein. Die Russen versuchten, die Gefangenen zu indoktrinieren und mit ihnen auch das Ritual von Kritik und Selbstkritik einzuüben. Die Deutschen, Führung gewohnt, aber ihrer Führer beraubt, machten beim Ritual mit, die Japaner ließen sich lieber erschlagen, als mit dem Feind zu kollaborieren. Die Italiener spielten mit, nahmen aber die Veranstaltung nicht ernst, sondern

bejubelten und beklatschten sie wie eine Opern-
aufführung. Sollte auch er bei Annes Kritik- und
Selbstkritikveranstaltung mitspielen, ohne sie ernst
zu nehmen? Sollte er lachenden Herzens alles zugeben, was sie zugegeben haben wollte?

Aber mit dem Zugeben würde es nicht getan
sein. Sie würde wissen wollen, wie es dazu kommen konnte. Sie würde nicht ruhen, bis sie herausgefunden hatte, was mit ihm nicht stimmte. Bis
auch er es eingesehen hatte. Und die gewonnenen
Einsichten würden immer wieder zur Erklärung
dienen und für Anklagen benutzt werden.

10

Erst jetzt merkte er, wie weit er gelaufen war und
wie lange er auf der Mauer gesessen hatte. Beim
Rückweg erwartete er bei jeder Biegung des Wegs,
dahinter werde die Straße liegen und sein Auto stehen, aber es kam noch eine Biegung und noch eine.
Als er das Auto schließlich erreichte und auf die
Uhr sah, war es zwölf, und er hatte Hunger.

Er fuhr weiter in die Berge und fand im nächsten
Dorf ein Restaurant mit Tischen an der Straße und
Blick auf Kirche und Rathaus. Es gab Sandwiches,
und er bestellte eines mit Schinken und eines mit

Käse und dazu Wein und Wasser und Milchkaffee. Die Bedienung war jung und hübsch und hatte keine Eile; gelassen genoss sie seine Bewunderung und erklärte ihm, was für Schinken sie in der Metzgerei um die Ecke holen könne und was für Käse sie hatte. Als Erstes brachte sie den Wein und das Wasser, und bevor die Sandwiches vor ihm lagen, war er schon ein bisschen betrunken.

Er blieb der einzige Gast. Als die Karaffe mit Wein leer war, fragte er, ob sich im Keller eine Flasche Champagner fände. Sie lachte, sah ihn vergnügt und verschwörerisch an, und als sie sich vorbeugte und das Geschirr vom Tisch räumte, zeigte der Ausschnitt ihrer Bluse den Ansatz ihrer Brüste. Er sah ihr nach und rief: »Bringen Sie zwei Gläser!«

Sie lachte gerne. Darüber, dass er aufstand und ihr den Stuhl zurechtrückte. Dass er den Champagnerkorken knallen ließ. Dass er mit ihr anstieß. Dass er sie so vorsichtig nach dem Leben als attraktive Frau in einem gottverlassenen Dorf in den Bergen fragte. Sie half im Sommer ihren Großeltern im Restaurant. Sonst studierte sie in Marseille Fotografie, reiste viel, hatte in Amerika und Japan gelebt und schon veröffentlicht. Sie hieß Renée.

»Von drei bis fünf mache ich zu.«
»Machst du einen Mittagsschlaf?«

»Das wäre das erste Mal.«

»Was gibt's mittags Schöneres als …«

»Ich wüsste was.« Sie lachte.

Er lachte zurück. »Du hast recht – ich auch.«

Sie sah auf die Uhr. »Heute schließt das Restaurant bereits um halb drei.«

»Gut.«

Sie standen auf und nahmen den Champagner mit. Er folgte ihr durch den Gastraum und die Küche. Er war vom Champagner und von der Aussicht auf die Liebe berauscht, und als Renée vor ihm die dunkle Treppe hochstieg, hätte er ihr gleich hier die Kleider vom Leib reißen mögen. Aber er hatte die Flasche und die Gläser in den Händen. Zugleich gingen ihm Anne und ihr Streit durch den Kopf – gab es nicht ein Prinzip, nach dem man für eine Tat, die man nicht begangen hat, für die man aber verurteilt wurde, nicht bestraft werden darf, wenn man sie schließlich doch begeht? Double jeopardy? Anne hatte ihn für etwas bestraft, das er nicht getan hatte. Jetzt durfte er es tun.

Auch im Bett lachte Renée viel. Lachend nahm sie den blutigen Tampon heraus und legte ihn neben das Bett auf den Boden. Sie machte Liebe mit der Sachlichkeit und Gewandtheit, mit der man Sport treibt. Erst als sie beide erschöpft waren, wurde sie zärtlich und mochte ihn küssen und von ihm geküsst werden. Beim zweiten Mal hielt sie ihn fester als beim ersten, aber als es vorbei war, sah sie bald auf die Uhr und schickte ihn weg. Es war halb fünf. Ihre Großeltern würden bald zurück sein. Und er müsse nicht wiederkommen; in drei Tagen sei ihre Zeit in dem, wie habe er gesagt, gottverlassenen Dorf in den Bergen vorbei.

Sie begleitete ihn an die Treppe. Von unten sah er noch mal hoch: Sie lehnte am Geländer, und er konnte im Dunkel den Ausdruck ihres Gesichts nicht erkennen.

»Es war schön mit dir.«

»Ja.«

»Ich mag dein Lachen.«

»Mach, dass du fortkommst.«

11

Er hätte sich über ein Sommergewitter gefreut, aber der Himmel war blau, und die Hitze stand in der engen Straße. Als er im Auto saß, sah er einen Mercedes vor dem Restaurant halten und ein altes Paar aussteigen. Renée trat aus der Tür, begrüßte die beiden und half ihnen, Lebensmittel ins Haus zu tragen.

Er fuhr langsam, um Renée noch ein bisschen

im Rückspiegel zu haben. Ihn überkam eine plötzliche, heftige Sehnsucht nach einem ganz anderen Leben, einem Leben mit dem Winter in der Stadt am Meer und dem Sommer im Dorf in den Bergen, einem Leben des stetigen, verlässlichen Rhythmus, in dem man immer wieder dieselben Strecken fuhr, in demselben Bett schlief, dieselben Leute traf.

Er wollte laufen, wo er am Morgen gelaufen war, fand die Stelle aber nicht. Er hielt an einer anderen Stelle, stieg aus, konnte sich aber nicht zum Laufen entschließen, sondern setzte sich an die Böschung, riss einen Grashalm ab, stützte die Arme auf die Knie und nahm den Grashalm zwischen die Zähne. Wieder sah er über Hänge und niedrige Berge in die Ebene. Seine Sehnsucht kreiste nicht um Renée und nicht um Anne. Es ging nicht um diese oder jene Frau, sondern um Stetigkeit und Verlässlichkeit des Lebens überhaupt.

Er träumte davon, sie alle aufzugeben, Renée, die ihn ohnehin nicht haben wollte, Therese, die an ihm nur mochte, was einfach war, Anne, die erobert werden, aber nicht erobern wollte. Aber dann hätte er niemanden mehr.

Er würde Anne am Abend sagen, was sie hören wollte. Warum auch nicht? Ja, sie würde, was er sagen würde, später immer wieder aufgreifen und verwenden. Was machte das schon? Was konnte es ihm anhaben? Was konnte ihm irgendetwas anhaben? Er fühlte sich unverletzbar, unberührbar und lachte – das musste der Champagner sein.

Es war zu früh, um nach Cucuron und zu Anne zu fahren. Er blieb sitzen und sah in die Ebene. Manchmal kam ein Auto vorbei, manchmal hupte es. Manchmal sah er in der Ebene etwas aufblitzen – das Sonnenlicht, das sich im Fenster eines Hauses oder in der Scheibe eines Autos brach.

Er träumte vom Sommer im Dorf in den Bergen. Renée oder Chantal oder Marie oder wie sie auch immer heißen mochte und er würden im Mai hochziehen und das Restaurant aufmachen, nicht für Mittags-, sondern nur für Abendgäste, zwei oder drei Gerichte, einfache ländliche Küche, Weine aus der Gegend. Ein paar Touristen würden kommen, ein paar ausländische Künstler, die alte Häuser gekauft und renoviert hatten, ein paar Einheimische. Am frühen Morgen würde er auf den Markt fahren und einkaufen, am frühen Nachmittag würden sie Liebe machen, am späten zusammen in die Küche gehen und das Essen vorbereiten. Am Montag und Dienstag wäre Ruhetag. Im Oktober würden sie das Restaurant zumachen, die Läden und die Tür verschließen und in die Stadt fahren. In der Stadt würden sie – ihm fiel nicht ein, was sie in der Stadt machen würden. Eine Kunst- oder eine Buchhandlung? Schreibwaren? Tabakwaren? Ein Geschäft nur im Winter? Wie sollte das gehen? Wollte er überhaupt ein Geschäft führen? Ein Restaurant betreiben? Es waren alles leere Träume. Die Liebe am frühen Nachmittag, die war's, und es war egal, ob in einer Stadt am Meer oder am Fluss oder in einem Dorf in den Bergen oder in der Ebene.

Er sah in die Ebene und kaute am Grashalm.

12

Er war um sieben in Cucuron, parkte das Auto, fand Anne nicht vor der Bar de l'Étang und ging ins Hotel. Sie saß auf der Loggia, eine Flasche Rotwein auf dem Tisch und zwei Gläser, ein volles und ein leeres. Wie sah sie ihn an? Er wollte es gar nicht wissen. Er sah auf den Boden.

»Ich will nicht viel sagen. Ich habe mit Therese geschlafen, und es tut mir leid, und ich hoffe, dass du mir verzeihen kannst und wir es hinter uns lassen können, nicht heute, ich weiß, und nicht morgen, aber bald und so, dass wir einander gut bleiben. Ich liebe dich, Anne, und …«

»Willst du dich nicht setzen?«

Er setzte sich, redete weiter und sah weiter auf

den Boden. »Ich liebe dich, und ich will dich nicht verlieren. Ich hoffe, ich habe dich nicht schon verloren durch etwas, das so wenig Gewicht hat. Ich verstehe, dass es für dich großes Gewicht hat, und weil das so ist und weil ich es hätte wissen können, hätte es auch für mich großes Gewicht haben und hätte ich es nicht tun sollen. Das verstehe ich. Aber es hat wirklich wenig Gewicht. Ich weiß, dass …«

»Komm erst mal an. Willst du …«

»Nein, Anne, lass mich bitte alles sagen. Ich weiß, dass Männer immer wieder sagen, und Frauen sagen es auch, dass der Seitensprung nichts zu bedeuten hatte, dass er nur so passiert ist, dass die Gelegenheit ihn gemacht hat oder die Einsamkeit oder der Alkohol, dass nichts von ihm geblieben ist, keine Liebe, keine Sehnsucht, kein Verlangen. Sie sagen es so oft, dass es ein Klischee geworden ist. Aber Klischees sind Klischees, weil sie stimmen, und wenn es mit dem Seitensprung auch manchmal anders sein mag – oft ist es so, und bei mir war es so. Therese und ich in Baden-Baden – das hatte nichts zu bedeuten. Du magst …«

»Kannst du mich …«

»Du kannst gleich alles sagen, was du sagen willst. Ich will nur noch sagen, dass ich dich verstehe, wenn du einen, dem ein Seitensprung nichts bedeutet, nicht willst. Aber der Teil von mir, dem der Seitensprung nichts bedeutet, ist nur ein kleiner Teil von mir. Der große Teil ist der, dem du mehr bedeutest als alle anderen in der Welt, der dich liebt, mit dem du die Jahre zusammen gewesen bist. Vor Baden-Baden habe ich auch noch nie …«

»Schau mich an!«

Er sah auf und sah sie an.

»Es ist gut. Ich habe mit Therese telefoniert, und sie hat bestätigt, dass nichts war. Du willst vielleicht wissen, warum ich dir nicht geglaubt habe und ihr glaube – ich höre in der Stimme einer Frau besser, ob sie die Wahrheit sagt oder lügt, als in der eines Manns. Sie fand, dass du ihr und mir gegenüber nicht ehrlich warst, und wenn sie gewusst hätte, wie lange und wie eng du und ich zusammen sind, hätte sie dich nicht so oft sehen wollen. Aber das ist eine andere Geschichte. Geschlafen habt ihr jedenfalls nicht miteinander.«

»Oh!« Er wusste nicht, was er sagen sollte. Er las in Annes Gesicht Verletztheit, Erleiterung, Liebe. Er sollte aufstehen, zu ihr gehen und sie umarmen. Aber er blieb sitzen und sagte nur: »Komm!«, und sie stand auf und setzte sich auf seinen Schoß und lehnte ihren Kopf an seine Schulter. Er legte die Arme um sie und sah über ihren Kopf und über die Dächer zum Kirchturm. Sollte er vom Nachmittag mit Renée erzählen?

»Warum schüttelst du den Kopf?«

Weil ich gerade beschlossen habe, dir nicht von dem anderen Seitensprung zu erzählen, den ich heute Nachmittag ... »Ich habe gerade daran gedacht, dass nur wenig gefehlt hat, und wir hätten ...«

»Ich weiß.«

13

Sie redeten nicht mehr über Baden-Baden, nicht über Therese und nicht über Wahrheit und Lüge. Es war nicht so, als sei nichts gewesen. Wäre nichts gewesen, hätten sie unbefangen miteinander gestritten. So passten sie auf, nicht aneinanderzustoßen. Sie bewegten sich vorsichtig. Sie arbeiteten mehr als am Anfang, und am Ende hatte sie ihren Aufsatz über Geschlechterdifferenz und Äquivalenzrechte fertig und er ein Stück über zwei Banker, die ein Wochenende in einem Aufzug festsitzen. Wenn sie miteinander schliefen, blieben sie beide ein bisschen reserviert.

Am letzten Abend waren sie noch mal im Restaurant in Bonnieux. Von der Terrasse sahen sie, wie die Sonne unterging und die Nacht anbrach. Das dunkle Blau des Himmels wurde zu tiefem

Schwarz, die Sterne funkelten, und die Zikaden lärmten. Die Schwärze, das Funkeln, das Lärmen – es war eine festliche Nacht. Aber der bevorstehende Abschied machte sie melancholisch. Überdies ließ ihn der gestirnte Himmel an das moralische Gesetz und an die Stunden mit Renée denken.

»Trägst du mir nach, dass ich Therese nicht mehr über dich und dir nicht mehr über Therese erzählt habe?«

Sie schüttelte den Kopf. »Es hat mich traurig gemacht. Aber ich trage es dir nicht nach. Und du? Trägst du mir nach, dass ich dich verdächtigt und erpresst habe? Das war's ja, was ich gemacht habe: Dich erpresst, und weil du mich liebst, hast du dich erpressen lassen.«

»Nein, ich trage es dir nicht nach. Mir macht Angst, wie schnell alles eskaliert ist. Aber das ist etwas anderes.«

Sie legte ihre Hand auf seine, sah aber nicht ihn an, sondern ins Land. »Warum sind wir so … Ich weiß nicht, wie ich es nennen soll. Du weißt, was ich meine? Wir sind anders geworden.«

»Gut anders oder schlecht anders?«

Sie nahm ihre Hand von seiner, lehnte sich zurück und musterte ihn. »Auch das weiß ich nicht. Wir haben etwas verloren und etwas gewonnen, nicht wahr?«

»Die Unschuld verloren? Nüchternheit gewonnen?«

»Was, wenn Nüchternheit gut und trotzdem der Tod der Liebe ist und es ohne den einfältigen Glauben an den anderen nicht geht?«

»Ist die Wahrheit, von der du sagst, du brauchst sie als Boden unter den Füßen, nicht immer nüchtern?«

»Nein, die Wahrheit, die ich meine und brauche, ist nicht nüchtern. Sie ist leidenschaftlich, manchmal schön, manchmal hässlich, sie kann dich glücklich machen und kann dich quälen, und immer macht sie dich frei. Wenn du es nicht sofort merkst, dann nach einer Weile.« Sie nickte. »Ja, sie kann dich wirklich quälen. Dann schimpfst du und wünschtest, du wärst ihr nicht begegnet. Aber dann wird dir klar, dass nicht sie dich quält, sondern das, wovon sie die Wahrheit ist.«

»Das verstehe ich nicht.« Die Wahrheit und das, wovon sie die Wahrheit ist – was meinte Anne? Zugleich fragte er sich, ob er ihr von Renée erzählen sollte, jetzt, weil es später zu spät wäre. Aber warum wäre es später zu spät? Und wenn es auch später ginge, warum musste es dann überhaupt sein?

»Vergiss es.«

»Ich möchte aber gerne verstehen, was …«

»Vergiss es. Sag mir lieber, wie es weitergehen soll.«

»Du wolltest ein bisschen Zeit, um dir das Heiraten zu überlegen.«

»Ja, ich glaube, ich sollte mir Zeit nehmen. Brauchst du nicht auch Zeit?«

»Auszeit?«

»Auszeit.«

14

Sie wollte nicht darüber diskutieren. Nein, er habe nichts falsch gemacht. Nichts, was sie benennen könne. Nichts, was sie mit einem Paartherapeuten besprechen wolle.

Das Essen kam. Sie aß mit Lust. Ihm war flau, und er stocherte mit der Gabel in der Dorade herum. Als sie im Bett lagen, wies sie ihn nicht ab, begehrte ihn aber auch nicht, und er hatte das Gefühl, sie brauche keine Zeit mehr, sie habe sich schon entschieden, und er habe sie schon verloren.

Am nächsten Morgen fragte sie ihn, ob es ihm etwas ausmache, sie nach Marseille zum Flughafen zu bringen. Es machte ihm etwas aus, aber er brachte sie hin und versuchte, sie so zu verabschieden, dass sie seinen Schmerz, aber auch seine Bereitschaft sah, ihre Entscheidung zu respektieren. Dass sie ihn in guter Erinnerung behielte und wiedersehen und wiederhaben wollte.

Dann fuhr er durch Marseille, hoffte, er würde auf dem Bürgersteig plötzlich Renée sehen, wusste aber, dass er nicht halten würde. Auf der Autobahn dachte er daran, wie sein Leben in Frankfurt ohne Therese werden würde. Was er arbeiten würde. Der Auftrag für ein neues Stück, auf den er gehofft hatte, war nicht gekommen. Er konnte sich an das Exposé für den Produzenten machen. Aber das konnte er überall. Eigentlich zog ihn nichts nach Frankfurt.

Wie hatte Anne gesagt? Wenn du der Wahrheit begegnest und sie quälend findest, ist nicht sie es, die dich quält, sondern das, wovon sie die Wahrheit ist. Und immer macht sie dich frei. Er lachte. Die Wahrheit und das, wovon sie die Wahrheit ist – er verstand noch immer nicht. Und ob sie einen frei macht – vielleicht ist es umgekehrt, und man muss frei sein, damit man mit der Wahrheit leben kann. Aber nichts sprach mehr dagegen, es mit der Wahrheit zu versuchen. Irgendwo würde er die Autobahn verlassen und sich in einem Hotel einmieten, in den Cevennen, im Burgund, in den Vogesen, und Anne alles schreiben.

Patricia Highsmith

Das große Kartenhaus

Lucien Montlehuc zuckte leicht zusammen, als er die Meldung sah. Er las sie einmal, zweimal, und als er sie endlich glaubte, legte er die Zeitung nieder und nahm sein Monokel ab. Der gewohnt amüsierte Ausdruck kehrte in sein Gesicht zurück; seine Lider hoben und senkten sich über seinen hellblauen Augen. »Und ausgerechnet Gaston Potin ist darauf hereingefallen«, dachte er sich. »Ausgerechnet er!«

Dieser Gedanke stimmte ihn noch heiterer. Es wäre nicht das erste Mal, dass er Gaston Potin eines Fehlurteils überführte. Dieser Giotto war eine Fälschung, und Gaston bot ihn auf der Versteigerung als Original an. Lucien wollte ihn unbedingt haben, und die Versteigerung war für diesen Nachmittag angesetzt. Was für ein Glück, dass er die Ankündigung rechtzeitig zu sehen bekommen hatte! Sonst wäre ihm die großartige Fälschung möglicherweise abermals durch die Finger geschlüpft.

Lucien steckte das Monokel in den Halt seiner

leicht vorstehenden Augenbraue zurück, klingelte nach François und wies ihn an, für eine Übernachtung in Aix-en-Provence zu packen. Beim Warten schlug er die *Verkündigung an die Hirten* in seinem Band mit Giotto-Reproduktionen auf und betrachtete das Bild eingehend. Wieder dachte er, wie merkwürdig es sei, dass der arme Gaston Potin nicht auf die Idee gekommen war, er könnte es mit einer Fälschung zu tun haben. Vielleicht waren es die allzu starren Mienen der Hirten, die ihm, Lucien, verrieten, dass das Bild nicht von Giottos Hand stammen konnte. Kein echtes religiöses Empfinden. Das Gewand des Verkündigungsengels war von zu grellem Rosa. An der ganzen Komposition stimmte etwas nicht – es war kein Giotto, aber als Fälschung war es großartig.

Lucien brauchte kein Vergrößerungsglas, um eine Fälschung zu erkennen. Irgendetwas in seinem Inneren, eine Art inneren Sensoriums, verriet ihm sofort und unfehlbar, wann er es mit einer Fälschung zu tun hatte. Es trog ihn nie.

Und hatte nicht ein Engländer, Sir Ronald Dunsenny, die Echtheit dieser *Verkündigung* zur Zeit des Erwerbs durch Frühlingen angezweifelt? Sir Ronald hatte sich sogar zu der Vermutung verstiegen, das Original sei um die Mitte des achtzehnten Jahrhunderts bei einer Feuersbrunst vernichtet worden. Das war Gaston Potin offenbar nicht bekannt.

Luciens Leidenschaft galt dem Sammeln der vollendetsten Imitationen – und zwar nur der Imitationen – großer Kunstwerke. Nach echten Bildern gelüstete es ihn nicht. Und er durfte sich rühmen, dass seine gefälschten Meisterwerke so ausgezeichnete Fälschungen waren, dass jedes von ihnen die gewieftesten Händler und Kritiker täuschen konnte, wenn man es als Original ausgab.

Solche Späße hatte Lucien sich in den fünfzehn Jahren, seit er Fälschungen sammelte, des Öfteren erlaubt. Beispielsweise verlieh er eine seiner Fälschungen, die er als Leihgabe der Person im Besitz des Originals deklarierte; er besuchte dann die Ausstellung, machte seinen Verdacht publik und behielt natürlich recht. Zweimal hatte er Gaston Potin trotz dessen großen Ansehens als Kunsthändler dadurch öffentlich bloßgestellt. Und einmal hatte Lucien in Gaston Zweifel an einem Original gesät, indem er eine seiner Fälschungen präsentierte, die so gut war, dass sechs Fachleute drei Tage gebraucht hatten, um sich darüber schlüssig zu werden, welches der Bilder das Original war. All das hatte bewirkt, dass Gaston sich vernichtend über Luciens wohlbekannte Sammlung und seinen bedauerlichen Hang zum Unechten geäußert hatte.

Bedauerlich für wen?, hatte Lucien sich gefragt. Und warum? Seine Scherze hatten ihn möglicherweise einige Freundschaften gekostet, doch letztlich interessierten ihn Freundschaften ebenso wenig wie echte Leonardos, echte Renis oder sonst etwas Echtes: Freundschaften und unzweifelhafte Meisterwerke waren allzu natürlich, allzu unkompliziert, allzu langweilig. Nicht, dass Lucien die Menschen verabscheute, und andere konnten ihn meist gut leiden, doch sobald Freundschaft am Horizont dräute, zog er sich zurück.

Sein Sechs-Millionen-Francs-Delahaye sauste mit hundert Stundenkilometern auf der Route Napoléon von Paris in Richtung Aix. Platanen in vollem Laub, deren glatte Rinde sich in purpur-, rosa- und beigefarbenen Fetzen vom Stamm löste, rauschten am Straßenrand vorbei wie die Pfähle eines Holzzauns. Unablässig eröffnete sich links und rechts eine Landschaft in düsteren Orange-, Grün- und Brauntönen, hie und da mit blauen Tupfern bäuerlicher Vehikel versetzt – eine Landschaft von der kompositorischen Schönheit eines Gobelins –, doch Lucien hatte keine Augen dafür. Die Schöpfungen der Natur interessierten ihn nicht annähernd so sehr wie die von Menschenhand, und sein untersetzter Körper lehnte sich im Wagensitz zurück. Seine Gedanken beschäftigten sich mit dem Frühlingen-Giotto, und mit der intensiven, konzentrierten Vorfreude eines Jägers oder Liebenden dachte er an die Auktion. Der bloße Umstand, dass Lucien Montlehuc für ein Gemälde bot, bedeutete, dass das Gemälde höchstwahrscheinlich oder gewiss eine Fälschung war, und musste in diesem Fall Gaston, der hinter der Auktion stand, unweigerlich in ein schiefes Licht bringen. Manche der Teilnehmer in Aix konnten natürlich denken, dass er, Lucien, sich einen Schabernack mit Gaston erlaubte, indem er mitbot. Das konnte ihm nur recht sein, wenn die Experten das Gemälde als Fälschung anerkannten, sobald es ihm gehörte.

»Die Schnecken waren ausgezeichnet«, bemerkte Lucien zufrieden nach dem Mittagessen; seine rosigen Wangen glänzten. Er und François gingen schnellen Schritts zum Wagen.

»Ausgezeichnet, Monsieur«, erwiderte François gutgelaunt. Seine gute Laune spiegelte die seines Herrn und Meisters wider. François war groß und schlank und von Natur aus bequem, obwohl er es nie versäumte, einer Anordnung Luciens nachzukommen. Er hatte nicht vergessen, dass die spanische Regierung ihn einst hatte hinrichten wollen, weil er im Besitz eines falschen Passes erwischt worden war.

Dass François sich in der Sache von Anfang bis Ende spöttisch und überlegen gezeigt hatte, trug ihm Luciens Hochachtung ein, und es war Lucien gelungen, ihn freizukaufen. Seitdem hatte François, der in Wirklichkeit Russe war und sich in die Tschechoslowakei abgesetzt hatte, weil im Land seiner Herkunft eine Prämie auf seinen Kopf ausgesetzt war, in Frankreich gelebt – in Sicherheit und zufrieden, am Leben und in Luciens Diensten zu sein.

Lucien hatte selbst einmal in der Tschechoslowakei gelebt. Die meisten europäischen Zeitungen hatten 1926 von einem sehr jungen Hauptmann namens Lucas Minchovik berichtet, einem Glücksritter, der in einem Scharmützel an der jugoslawischen Grenze schwer verwundet worden war. Vor Jahren hatte man Lucien in der Tschechoslowakei hin und wieder auf diese Geschichte angesprochen, die den Heldenmut des jungen Hauptmanns so unvergesslich gemacht hatte, doch Lucien hatte stets erklärt, nichts damit zu tun zu haben. Es müsse sich um einen anderen Soldaten mit dem gleichen Namen gehandelt haben, erklärte er. Zuletzt hatte er seinen Namen geändert und war nach Frankreich gezogen.

In Aix begaben Lucien und François sich zuerst zum Hôtel des Étrangers, wo sie sich eine Suite mit drei Räumen reservieren ließen, und fuhren dann zum Musée de Tapisserie neben der Saint-Sauveur-Kathedrale. Die Auktion sollte in einer halben Stunde im Hof des Museums stattfinden, doch in Aix war man niemals pünktlich. Autos aller Größen und Marken verstopften die engen Gassen um die Kathedrale, und der Hof war ein Chaos von hin und her eilenden Arbeitern, plaudernden Kunsthändlern, Agenten und Privatkunden, die sich noch nicht gesetzt hatten.

»Können Sie Monsieur Potin erkennen?«, fragte Lucien François, der ein gutes Stück größer war als er.

»Nein, Monsieur.«

Ein Bekannter Luciens, ein Straßburger Kunsthändler, erklärte ihm, dass Monsieur Potin zu einem Mittagsimbiss in seine Villa am Stadtrand eingeladen hatte und noch nicht wiedergekommen war.

Lucien beschloss, Gaston Potin einen Besuch abzustatten. Er konnte es sich nicht verkneifen, Gaston von seinem Interesse an dem Giotto wissen zu lassen. Als sie sich Gastons Villa Madeleine näherten, hörte Lucien aus dem Haus die hohen Töne eines Klaviers, schwach, aber glockenhell. Eine Scarlatti-Sonate. Die in B-Dur, dachte Lucien. Ein Diener führte ihn in das Vestibül. Durch die offene Tür eines Salons sah er eine schmale Frau am Klavier sitzen und etwa zwanzig Männer und einige Frauen, die reglos dasaßen oder -standen und ihr zuhörten. Lucien blieb an der Schwelle stehen, rückte sein Monokel zurecht und erspähte Gaston direkt hinter dem Klavier, völlig entrückt dem Musikgenuss hingegeben. Lucien ließ den Blick über die anderen Anwesenden gleiten. Alle waren gekommen, Font-Martigue von der Galerie Dauberville in Paris, Fritz Heber aus Wien, Martin Palmer aus London – die Crème de la Crème.

Und alle lauschten der Sonate – es war wirklich die in B-Dur – mit der gleichen Entrücktheit wie Gaston.

Luciens Erscheinen in der Tür war unbemerkt geblieben. Der schnelle Satz, den die Frau jetzt spielte, war tatsächlich beeindruckend. Die Töne perlten von ihren Fingern wie Tropfen klarsten Quellwassers. Doch für Luciens Ohr, das ebenso unfehlbar war wie sein Auge, fehlte ein Ingrediens, nämlich Freude am Spiel. Lucien konnte hören, dass die Pianistin Scarlatti verabscheute, möglicherweise sogar alle Musik. Er musste lächeln. Konnte sie die Gesellschaft wirklich so in Bann halten, wie es den Anschein hatte? Aber gewiss. Wie beschränkt die Menschen waren, selbst jene, die sich für Kunstkenner hielten! Als die Sonate zu Ende war, applaudierte die kleine Zuhörerschaft geradezu frenetisch.

Lucien sah, dass Gaston sich ihm mit der Pianistin am Arm näherte. Gaston lächelte Lucien zu, als hätte die Musik ihn vergessen lassen, dass es je Unstimmigkeiten zwischen ihnen gegeben hatte.

»Sehr erfreut und überrascht, Sie zu sehen, Lucien!«, sagte Gaston. »Darf ich Ihnen meine frühere Musiklehrerin vorstellen – Mademoiselle Claire Duhamel aus Aix.«

»*Enchanté*, Mademoiselle«, sagte Lucien. Befriedigt nahm er die leise Aufregung zur Kenntnis, die sein Kommen im Salon verursacht hatte.

»Sie spielt großartig, nicht wahr?«, fuhr Gaston fort. »Man hat sie gebeten, eine Reihe von Konzerten in Paris zu geben, aber sie hat abgelehnt, *n'est-ce pas, Mademoiselle Claire*? Ihr musikalisches Können darf Aix nicht so lange vorenthalten werden!«

Lucien lächelte höflich und sagte: »Ich habe erst heute Morgen von Ihrer Auktion erfahren, Gaston. Warum haben Sie mir keine Vorankündigung geschickt?«

»Weil ich mir sicher war, dass nichts dabei ist, was Sie interessieren könnte. Es sind nur Originale, die ich persönlich ausgewählt habe.«

»Aber die *Verkündigung an die Hirten* interessiert mich über alle Maßen!«, erklärte Lucien ihm lächelnd. »Ich nehme an, dass ich es jetzt nicht sehen kann, selbst wenn es hier ist.«

Hinter Gastons ungeheuchelter Überraschung zeigte sich eine Spur Bestürzung. »Aber mit dem größten Vergnügen, Lucien. Folgen Sie mir.«

Mademoiselle Duhamel, die Lucien unverwandt angesehen hatte, trat ihm mit der Frage in den Weg: »Sind Sie ebenfalls ein Bewunderer Giottos, Monsieur Montlehuc?«

Lucien sah sie an. Sie war die typische *vieille fille*, die typische alte Jungfer der provenzalischen Kleinstadt, farblos und schüchtern, die dennoch den Eindruck hartnäckiger Zielstrebigkeit und unverwüstlicher Zähigkeit in ihrem engen, beschränkten Leben machte, wie eine Pflanze am Rand einer windgepeitschten Klippe. Sanfte, traurige graue Augen schauten so niedergeschlagen aus ihrem schmalen Gesicht, dass man sich am liebsten auf der Stelle abgewendet hätte, weil man nicht imstande war, ihr zu helfen. Eine weniger anziehende Person konnte Lucien sich überhaupt nicht vorstellen. »Ja, Mademoiselle«, sagte er und eilte hinter Gaston her.

Luciens erster Blick auf das Gemälde verschaffte ihm jenes aus Erregung und Erkennen gemischte Herzklopfen, das er nur angesichts der gekonntesten Fälschungen verspürte. Aus der Patina schloss er, dass das Bild älter als zweihundert Jahre war. Und noch heute würde es ihm gehören.

»Sehen Sie?« Gaston lächelte zuversichtlich.

Lucien seufzte in gespielter Enttäuschung. »Ich sehe. Ein wirklich schönes Bild. Ich gratuliere, Gaston.«

Lucien wohnte der Auktion als betont unauffälliger Beobachter, als Außenstehender, bei. Ungeduldig wartete er, während ein mittelmäßiger Messina und ein erbärmlicher *ignoto veneziano* aus der Frühlingen-Sammlung aufgerufen und versteigert wurden. Bis auf den falschen Giotto, dachte Lucien boshaft, hatten die Barone von Frühlingen einen abscheulichen Geschmack bewiesen.

Mademoiselle Duhamel, die auf einer Bank an einer der Seitenwände saß, starrte wieder zu ihm herüber; der Himmel mochte wissen, welche Gedanken sich hinter ihren stillen grauen Augen verbargen. Ihr starrer Blick hatte etwas Verstörendes für Lucien, etwas anmaßend Allwissendes. Einen Augenblick ärgerte er sich heftig und sinnlos über sie. Er nahm sein Monokel ab und fuhr sich mit den Fingerspitzen leicht über die Lider. Und als er wieder aufsah, war die *Verkündigung* auf das Podium gebracht worden.

Ein Mann, den Lucien nicht sehen konnte, bot eine Million neue Francs.

»Eineinhalb Millionen«, sagte Lucien deutlich und gelassen. Er befand sich in der letzten Reihe.

Köpfe drehten sich zu ihm um. Es wurde getuschelt, als das Publikum Lucien Montlehuc erkannte.

»Zwei Millionen!«, rief der unsichtbare Bieter.

»Zwei Millionen zehntausend«, erwiderte Lucien in der Absicht, mit der beleidigend geringen Erhöhung des Gebots Gelächter zu erregen, was ihm gelang. Er hörte, wie sein Name im Publikum zischend geflüstert wurde. Jemand lachte, ein höhnisches Lachen, das bewirkte, dass Luciens Mundwinkel sich nach oben verzogen. Das zunehmende Getuschel verriet Lucien, dass die Leute begannen, einander zu fragen, ob die Echtheit des Giotto über jeden Zweifel erhaben sei.

Der unsichtbare Bieter erhob sich. Es war Font-Martigue aus Paris. Er wandte den kahlen Kopf mit dem Adlerprofil einen Augenblick um und sah Lucien kühl an. »Drei Millionen.«

Lucien erhob sich ebenfalls. »Drei Millionen fünfhundert.«

»Drei Millionen siebenhundert«, erwiderte Font-Martigue, mehr an Lucien als an den Versteigerer gewandt.

Lucien erhöhte das Gebot auf drei Millionen achthundert und Font-Martigue auf vier Millionen.

»Und hunderttausend«, fügte Lucien hinzu.

Auf diese Weise ließ sich der Betrag über den Preis für einen echten Giotto hinaustreiben, aber das war Lucien egal. Der Streich, den er Gaston spielte, wäre es wert. Und das Publikum war bereits unsicher. Außer Font-Martigue bot niemand mit. Alle wussten, dass Gaston Potin sich einige Male geirrt hatte, Lucien jedoch niemals.

»Vier Millionen zweihunderttausend«, sagte Font-Martigue.

»Vier Millionen dreihunderttausend«, sagte Lucien.

Das Publikum kicherte. Lucien wünschte, er hätte jetzt Gaston sehen können. Doch Gaston saß höchstwahrscheinlich in der ersten Reihe, mit dem Rücken zu Lucien. Wie bedauerlich. Es war schon lange kein Bieterwettstreit mehr, sondern ein Wettstreit zwischen Glauben und Nichtglauben, zwischen Gläubigem und Ungläubigem. Fünfzehn Meter entfernt stand die *Verkündigung* auf dem Podium, in ihrem goldbelaubten Rahmen wie ein Reliquienschrein, ein Reliquienschrein für den göttlichen Odem der Kunst, so wie jeder der beiden ihn sah.

»Vier Millionen vierhundert«, sagte Font-Martigue in abschließendem Ton.

»Vier Millionen fünfhundert«, erwiderte Lucien.

Font-Martigue verschränkte die Arme und setzte sich.

Der Versteigerer ließ seinen Hammer ertönen. »Vier Millionen fünfhunderttausend neue Francs?«

Lucien lächelte. Wer hatte die Mittel, ihn zu überbieten, wenn es ihn nach etwas gelüstete?

»Vier Millionen sechshundert«, sagte eine Stimme zur Linken Luciens.

Ein Mann, der aussah wie ein junger Charles de Gaulle, beugte sich über seinen Knien vor, die Aufmerksamkeit auf den Versteigerer gerichtet. Lucien kannte den Menschentyp, den De-Gaulle-Typ, der ebenfalls zu den Gläubigen zählte, zu den Idealisten. Das würde ihn mindestens fünf Millionen neue Francs kosten.

Fünf Minuten später erklärte der Auktionator die *Verkündigung an die Hirten* zum Eigentum Lucien Montlehucs für den Betrag von fünf Millionen und zweihundertfünfzigtausend neuen Francs.

Lucien kam unverzüglich zum Podium, um seinen Scheck auszuschreiben und das Werk in Besitz zu nehmen.

»Gratuliere, Lucien«, sagte Gaston Potin. Seine

Stirn war schweißfeucht, doch er brachte ein verwirrtes Lächeln zustande. »Endlich einmal ein echtes Kunstwerk. Das Einzige in Ihrer Sammlung, davon bin ich überzeugt.«

»Was ist echt?«, fragte Lucien. »Ist Kunst echt? Was ist ehrlicher als die Imitation, Gaston?«

»Wollen Sie damit etwa sagen, dass Sie dieses Gemälde für eine Fälschung halten?«

»Wenn es keine sein sollte, werde ich es Ihnen zurückgeben. Was sollte ich damit anfangen, wenn es echt wäre? Aber Sie wissen, dass Sie es nicht als Original hätten einliefern dürfen. Das hat den Preis in die Höhe getrieben.«

Gastons Gesicht verfärbte sich rötlich. »Hier im Raum sind ein Dutzend Männer, die Ihnen beweisen könnten, dass Sie sich irren, Lucien.«

»Ich lade sie gern dazu ein«, sagte Lucien formvollendet. »Scherz beiseite, Gaston, bitten Sie sie, heute Nachmittag zum Aperitif in meine Suite im Hôtel des Étrangers zu kommen. Sie sollen ihre Lupen und ihre Nachschlagewerke mitbringen. Um sechs. Darf ich mit Ihnen rechnen?«

»Das dürfen Sie«, sagte Gaston Potin.

Lucien ging aus dem Hof zu seinem Wagen. François hatte die *Verkündigung* bereits sorgfältig zwischen Rücklehne und Ersatzreifen verstaut. Als Lucien den Wagen erreichte, blickte er sich zufällig um. Er sah Mademoiselle Duhamel, die langsam vom Hofeingang auf ihn zuging, und er verspürte ein Herzklopfen wie eine sonderbare Vorahnung. Das Sonnenlicht, von den Bäumen in Partikel zerstäubt, tanzte wie stumme Musik auf ihrer voranschreitenden Gestalt, so leicht und flink, wie ihre Finger in Gastons Salon gespielt hatten. Er erinnerte sich an seinen Eindruck, als er ihrer Scarlatti-Sonate gelauscht hatte, dass es ihr zuwider war, sie zu spielen. Und trotzdem so vollendet zu spielen! Das erforderte eine herausragende Begabung, dachte Lucien. Plötzlich wurde er sich einer großen Hochachtung vor Mademoiselle Duhamel bewusst und einer weiteren Empfindung, die er nicht hätte benennen können, vielleicht Mitgefühl. Es schmerzte ihn, dass jemand mit Mademoiselle Duhamels Fähigkeiten so wenig Freude an ihnen haben konnte, dass sie so niedergedrückt, so unscheinbar wirkte.

»Wissen Sie, dass ich heute Nachmittag um sechs Uhr ein paar Freunde empfangen werde, Mademoiselle Duhamel?«, sagte Lucien mit ungewohnter Unbeholfenheit, als sie näher trat. »Es wäre mir eine Ehre, wenn Sie kommen könnten.«

Mademoiselle Duhamel sagte mit Freuden zu.

»Kommen Sie etwas früher, wenn Sie wollen.«

»Fünf Millionen zweihundertfünfzigtausend Francs für eine Fälschung«, flüsterte Mademoiselle Duhamel langsam und ehrfürchtig. Sie saß auf der Kante eines Stuhls im Salon von Luciens Suite und betrachtete das Bild, das Lucien an das Sofa gelehnt hatte.

Lucien ging lächelnd vor ihr hin und her und rauchte eine türkische Zigarette. François war kurz zuvor gegangen, um Cinzano, Pâté und Gebäck zu holen, und sie waren allein. Als er ihr erklärt hatte, dass der Giotto eine Fälschung war, hatte Mademoiselle Duhamel überrascht gewirkt, aber nicht allzu überrascht. Sie hatte genau die richtige Reaktion gezeigt. Und jetzt betrachtete sie das Bild mit aller gebotenen Ehrfurcht.

»Für gewöhnlich zahlt man für das Falsche mehr als für das Echte, Mademoiselle«, sagte Lucien, dem in der Stunde seines Triumphs großherzig zumute war. »Dieses Haar, das ich berühre, beispielsweise«, sagte er und tätschelte sein hellbraunes, sanft gewelltes Haupthaar, »ist ein Toupet, das beste Toupet, das man in Paris herstellen lassen kann. Als Gabe der Natur wäre es kostenlos. Genauer gesagt, es wäre wertlos. Es ist auch wertlos, jedenfalls für einen Mann mit Eigenhaar. Aber wenn ich es kaufen muss, um einen Mangel der Natur zu verbergen, dann muss ich dafür hundertfünfzigtausend Francs bezahlen. Und dieser Preis ist gerechtfertigt, bedenkt man das Können und die Arbeit, die seine Herstellung gekostet hat.« Lucien riss sich das Toupet vom Kopf und hielt es mit der Haarseite nach oben in der Hand. Sein kahler Schädel war von gesundem Braunrosa, so wie sein Gesicht, und die Kahlheit tat der für sein Alter außergewöhnlichen Lebendigkeit seines Aussehens kaum Abbruch. Sie war nur überraschend, weiter nichts.

»Ich hatte keine Ahnung, dass Sie ein Toupet tragen, Monsieur Montlehuc.«

Lucien beäugte sie aufmerksam. Ihm schien, als drücke ihr schräg geneigter Kopf so etwas wie Spott aus. Eine Form von Charme musste er ihr zugute halten, sie besaß Humor. »Wenn wir dieses Prinzip auf den falschen Giotto anwenden«, fuhr Lucien, durch Mademoiselle Duhamels Aufmerksamkeit beflügelt, fort, »dann können wir sagen, dass Giottos Begabung etwas Naturgegebenes war, vielleicht ein Geschenk der Götter, aber auf jeden Fall eine Fähigkeit, die ihn nichts oder zumindest keine Anstrengung gekostet hat, da er wie jeder Künstler aus seinem schöpferischen Gestaltungsdrang heraus schuf. Denken Sie hingegen an den armen Schlucker, der diese beinahe vollkommene Imitation geschaffen hat! Denken Sie an die gewaltige Leistung, die es war, jeden Pinselstrich des Meisters getreu zu reproduzieren! Denken Sie an *seine* Leistung!«

Mademoiselle Duhamel nahm jedes Wort aufmerksam auf. »Ja«, sagte sie.

»Verstehen Sie jetzt, warum ich die Imitatoren so hoch schätze oder ihnen, besser gesagt, ihren wahren Wert zuerkenne?«

»Ich verstehe es«, antwortete sie.

Lucien hatte das Gefühl, dass sie es vielleicht wirklich verstand. »Und Sie, Mademoiselle Duhamel, darf ich Ihnen sagen, dass ich Sie aus diesem Grund so sehr wertschätze? Sie verfügen über ein außergewöhnliches Talent zur Täuschung. Ihre Scarlatti-Darbietung heute Nachmittag war dem Spiel der besten Pianisten in keiner Hinsicht unterlegen – was die Technik betrifft. Es war ihnen nur in einer Hinsicht unterlegen.« Er zögerte, ungewiss, ob er es wagen konnte, weiterzusprechen.

»Ja?«, ermunterte ihn Mademoiselle Duhamel ein wenig furchtsam.

»Sie haben es verabscheut, habe ich recht?«

Sie sah auf ihre schmalen, verkrampften Hände in ihrem Schoß hinab, Hände, die noch immer so glatt und gelenkig waren wie die eines jungen Mädchens. »Ja. Ja, ich habe es verabscheut. Ich verabscheue die Musik. Es ist –« Sie hielt inne. In ihren

Augen schimmerten Tränen, doch sie hielt den Kopf aufrecht, und die Tränen fielen nicht.

Lucien lächelte nervös. Er verstand sich nicht darauf, andere zu trösten, versuchte es erst gar nicht, doch Mademoiselle Duhamel wollte er trösten, auch wenn er nicht wusste, wie er es anfangen sollte. »Über so dummes Zeug können Sie doch nicht weinen!«, brach es aus ihm heraus. »So viel Talent! Sie spielen göttlich! Wenn Sie es ertrügen – und ich bewundere Sie wirklich dafür, dass Sie es nicht ertragen können –, dann könnten Sie überall auf der Welt Konzerte geben! Ich wette, dass nicht ein Kritiker unter tausend imstande wäre, Ihre wahren Gefühle zu erkennen! Und was wollte er tun, wenn er es könnte? Eine nebensächliche Bemerkung machen, mehr nicht. Ihr Spiel aber würde Millionen und Abermillionen bezaubern. Genau wie meine Fälschungen Millionen und Abermillionen bezaubern könnten.« Er lachte, und ehe er sich's versah, streckte er die Hand aus und drückte liebevoll ihre schmächtige Schulter.

Sie zuckte unter seiner Berührung zusammen und entspannte sich ein wenig in ihrem Stuhl. Sie schien noch mehr zu schrumpfen, bis sie nur mehr dieses kleine, unglückliche Äußere ihrer selbst war. »Sie sind der Einzige, der es je gemerkt hat«, sagte sie. »Mein Vater hat darauf bestanden, dass ich als Kind und als junges Mädchen Musik übe, übe und übe, bis ich für nichts anderes mehr Zeit hatte, nicht einmal dafür, Freunde zu finden. Er war der Organist an der Kirche hier in Aix. Er wollte, dass aus mir eine Konzertpianistin wurde, doch ich wusste, dass ich nicht das Zeug dazu hatte, weil ich die Musik zu sehr verabscheute. Und zuletzt – ich war achtunddreißig, als mein Vater starb – war es zu spät, um noch ans Heiraten zu denken. Deshalb blieb ich hier und verdiente meinen Lebensunterhalt auf die einzige Art, die ich gelernt hatte, indem ich Musikunterricht gab. Oh, wie ich mich schäme! Vorzugeben zu lieben, was ich hasse! Andere lieben zu lehren, was ich hasse – das Klavierspiel!« Beim Wort »Klavierspiel« war ihre Stimme nur noch ein schmerzerfüllter Seufzer.

»Sie haben Gaston hinters Licht geführt«, erinnerte Lucien sie lächelnd. Erregung, Lebensfreude regten sich in seinem Inneren. Er konnte kaum stillstehen. Er wollte – er wusste nicht genau, was er tun wollte, außer Mademoiselle Duhamel davon zu überzeugen, dass sie unrecht daran tat, sich zu schämen, sich zu quälen. »Verstehen Sie denn nicht«, begann er, »dass es völlig unlogisch ist, etwas ernst zu nehmen, was Sie von Anfang an nie ernst genommen haben? – Sehen Sie doch, Mademoiselle!« Mit einer anmutigen Bewegung riss Lucien sich die rechte Hand ab. Er hielt die abgelöste und völlig natürlich aussehende rechte Hand in der Linken. Sein rechter Arm endete in einer leeren weißen Manschette.

Mademoiselle Duhamel sperrte den Mund auf.

»Das hätten Sie nicht erwartet, stimmt's?«, fragte Lucien mit dem Grinsen eines Schülers, dem es gelungen ist, einen Schabernack erfolgreich zu inszenieren.

»Nein.« Offenkundig hatte Mademoiselle Duhamel das nicht erwartet.

»Sehen Sie, die Hand entspricht akkurat der Linken, und vermittels gewisser Gesten, die mir zur zweiten Natur geworden sind, kann ich so tun, als kooperierte meine Kunsthand mit der richtigen Hand.« Lucien zog sich die Hand schnell wieder an.

»Das ist ja wie ein Wunder!«, sagte Mademoiselle Duhamel.

»Ein Wunder der plastischen Chirurgie, weiter nichts. Mein rechter Fuß ebenfalls, wie ich vielleicht hinzufügen darf.« Lucien hob sein Hosenbein um ein paar Zentimeter an, obwohl nichts zu sehen war als ein normal wirkender schwarzer Schuh samt Socke. »Ich wurde einmal verwundet, im Wortsinn in Stücke gerissen, aber hätte ich deshalb wie ein Krebs durchs Leben kriechen sollen, von jedermann gescheut, Gegenstand von Entsetzen und Mitleid? Das Leben ist dazu da, dass wir uns daran erfreuen, oder etwa nicht? Sie schenken Freude, Mademoiselle Duhamel. Sie müssen nur noch lernen, Freude zu empfangen!« Lucien lachte laut, ein Lachen, das so tief von Herzen kam, so unstreitig aus seiner breiten Brust emporstieg, dass auch Mademoiselle Duhamel zaghaft lächelte.

Und dann lachte sie. Anfangs war ihr Lachen nur ein schmaler Spalt, wie das Öffnen einer Tür, die seit urdenklichen Zeiten geschlossen war. Doch das Lachen wuchs und schien sich in alle Richtungen zu entfalten wie ein eigenständiges Wesen, das Gestalt annahm und Mut fasste.

»Und mein Ohr!«, fuhr Lucien begeistert fort. »Es erforderte nicht zwei Ohren zu hören, was ich in Ihrer Musik hörte, Mademoiselle. Ein ausgezeichnetes Pendant zu meinem linken Ohr, finden Sie nicht? Aber nicht zu vollkommen, weil Ohren nie ganz gleich sind.« Er konnte sein künstliches rechtes Ohr nicht abnehmen, aber er zwickte es und zwinkerte ihr zu. »Und mein rechtes Auge – Näheres will ich Ihnen ersparen, doch so viel sei gesagt, dass es ein Glasauge ist. Leute beziehen sich gern auf mein ›magisches Monokel‹, wenn sie mein unfehlbares Urteil meinen. Das Monokel trage ich zum Spaß, frei nach dem Motto, dass wer den Schaden hat, auch den Spott selbst besorgen kann. Sehen Sie einen Unterschied zwischen meinen Augen, Mademoiselle Duhamel?« Lucien beugte sich vor und blickte in ihre grauen Augen, die hinter den Tränen zu leuchten begannen.

»Nein, wahrhaftig nicht«, erklärte sie.

Lucien strahlte vor Zufriedenheit. »Sagte ich: mein Fuß? Mein ganzes Bein besteht aus hohlem Plastik!« Er klopfte mit einem Bleistift, den er vom Tisch nahm, gegen seinen Schenkel, von dem es hohl widerhallte. »Aber hielte mich das vom Tanzen ab? Oder hätte jemals jemand behauptet, ich hinkte? Ich hinke nicht. Wollen Sie noch mehr hören?« Sein bekräftigendes lautes Lachen ertönte wieder.

Mademoiselle Duhamel sah ihn fasziniert an. »Ich habe noch nie –«

»Meine Zähne brauche ich nicht eigens zu erwähnen«, fiel ihr Lucien ins Wort. »Nach meiner Verwundung waren mir kaum drei ganze Zähne im Mund geblieben. Damals war ich jung. Aber das tut nichts zur Sache; ich rettete meinem Arbeitgeber das Leben, und er belohnte mich mit einem großen Treuhandvermögen, das mir ermöglicht, im Luxus zu leben. Jedenfalls sind meine Zähne die Arbeit eines Künstlers der Täuschung, eines Japaners, dessen Kunstfertigkeit und Täuschungskünste ihn zweifelsohne dem großen Leonardo ebenbürtig zur Seite stellen. Er heißt Tao Mishugawa, doch nur wenige werden je von ihm gehört haben. Selbstverständlich sind meine Zähne so unregelmäßig wie echte. Hin und wieder begebe ich mich zu Tao und lasse mir neue Füllungen oder ein Inlay machen, um meine eigenen Sinne zu täuschen. Sagen Sie mir, Mademoiselle, hätten Sie das geahnt?«

»Nie und nimmer«, beteuerte sie.

»Könnte ich jeden künstlichen Körperteil ablegen – inklusive des silbernen Schienbeins meines linken Beins und meiner Plastikrippen –, dann wäre nicht mehr viel von mir übrig, oder? Bis auf den Geist. Der wäre noch da und unverdrossener als zuvor, das wette ich! Kommt es Ihnen seltsam vor, dass ich vom Geist spreche, Mademoiselle Duhamel?«

»Keineswegs. Nein, nicht im Geringsten.«

»Wusste ich's doch! Ich hätte nicht zu fragen brauchen. Auch Sie zählen zu den Großen im Geist, die sich Herausforderungen stellen und die Natur beschämen. Die Stunden der Plackerei am Klavier waren nicht umsonst, Mademoiselle. Nicht weil ich das jetzt zu Ihnen sage, sondern weil Sie heute Nachmittag zwanzig Leuten Freude geschenkt haben. Weil Sie in der Lage sind, Freude zu schenken!«

Mademoiselle Duhamel blickte abermals auf ihre Hände, doch nun röteten sich ihre Wangen vor Freude.

»Kritiker und Kunsthändler nennen mich in ihrer Ignoranz einen Dilettanten! Dass ich ein Künstler bin, begreifen sie nicht. Aber was soll's! Sie sind die wahren Dilettanten, diese Nichtskönner! Sie verstehen mich, Mademoiselle Duhamel, weil Sie so sind wie ich, aber die anderen, die mich verhöhnen, mich beglotzen, über mich lachen und mich zugleich beneiden und bewundern, weil ich mich nicht scheue, mich zu dem zu bekennen, was ich liebe – ah, da sind sie schon!«

Lucien warf einen Blick auf die Uhr. François hatte offenbar Schwierigkeiten, die richtige Sorte Pâté zu finden. Lucien ging nicht gern selbst an die Tür.

Mademoiselle Duhamel stand auf. »Darf ich Ihren Gästen öffnen?«

Lucien sah sie überrascht an. Sie wirkte größer als vorher und beinahe – er konnte es kaum glauben – glücklich. Das Leuchten, das er in ihren grauen Augen gesehen hatte, schien von ihrem ganzen Körper Besitz ergriffen zu haben. Und auch

Lucien verspürte ein ungekanntes Glücksgefühl, vielleicht das Glücksgefühl des Künstlers, der etwas geschaffen hat, dachte er, des Künstlers, dessen Talent naturgegeben ist.

»Es wäre mir eine Ehre«, sagte Lucien.

Gaston war zusammen mit vier anderen Händlern gekommen, und einer von ihnen brachte ein Bild mit, das Lucien als Giottos *Anbetung der Könige* aus einer Privatsammlung wiedererkannte. Lucien begrüßte sie gastfreundlich. Dann kamen mehr Leute, und schließlich erschien François mit den Erfrischungen. Der Mann mit dem Bild lehnte es neben Luciens eigenes an das Sofa, und alle holten ihre Lupen hervor.

»Ich versichere Ihnen, dass Sie im Besitz eines Originals sind«, sagte Gaston frohgemut zu Lucien. »Nicht, dass Sie keinen angemessenen Preis dafür bezahlt hätten.« Gaston hatte all sein Selbstvertrauen wiedererlangt.

Lucien wies mit seiner künstlichen Hand auf das Grüppchen neben dem Sofa. »Die Experten haben sich noch nicht geäußert, oder? Lassen wir sie mit ihren Lupen entdecken, was ich mit bloßem Auge erkennen kann.« Er wanderte zu Mademoiselle Duhamel, die sich in einer Ecke des Zimmers mit Monsieur Palissy unterhielt. Wie reizend sie aussah, dachte Lucien. Vor einer halben Stunde hätte sie noch nicht gewagt, ihre Worte mit ihren schönen Händen zu betonen.

Gaston fing Lucien ab, bevor dieser Mademoiselle Duhamel erreichte. »Räumen Sie ein, dass dieses Bild ein echter Giotto ist, Lucien?«, fragte er und deutete auf das Bild des Händlers.

»Zweifellos«, sagte Lucien. »Diese *Anbetung* ist ein Werk von minderer Qualität, wie ich schon immer fand, aber zweifellos echt.«

»Sehen Sie sich die Pinselstriche an, Lucien, und vergleichen Sie sie mit denen auf Ihrem Bild. Jedes Kind kann sehen, was ich meine. Der Pinsel, mit dem er den Hintergrund beider Bilder gemalt hat, war beschädigt; ein paar Borsten standen heraus und haben hie und da Kratzer verursacht. Ganz offenkundig wurden die Bilder um die gleiche Zeit gemalt. Darin sind sich die Experten übrigens einig.« Gaston bückte sich zu den Bildern. »Man benötigt nicht einmal ein Vergrößerungsglas, um das zu erkennen. Aber um ganz sicherzugehen, habe ich Fotografien anfertigen und vergrößern lassen. Bitte sehr, Lucien.«

Lucien ignorierte die Fotos auf dem Sofa. Er konnte es mit seinem richtigen Auge sehen: ein haarfeiner Kratzer hie und da, begleitet von einem noch dünneren Kratzer, beide durch einen Pinselstrich vom selben Pinsel verursacht. Die Kratzer waren auf beiden Bildern gleich, wie ein Muster, auffällig genug, wenn man danach suchte, aber nicht auffällig genug, um bei einer Fälschung berücksichtigt zu werden. Lucien wurde schwindelig. Einen Augenblick lang verspürte er nur ein starkes Unwohlsein. Er wusste, dass die Blicke aller Anwesenden auf ihm ruhten, während er sich über die Bilder beugte. Am schmerzlichsten war ihm die Anwesenheit Mademoiselle Duhamels bewusst. Er hatte das Gefühl, sie verraten zu haben. Er hatte sich als fehlbar erwiesen.

»Jetzt sehen Sie es«, sagte Gaston ruhig, ohne Bosheit, als weise er auf etwas hin, was Lucien von Anfang an hätte erkennen können.

Lucien war zumute, als stürze in seinem Inneren ein Kartenhaus ein, wahrhaftig alles, was ihn ausmachte. Wenn er jetzt das Gemälde betrachtete, das er für falsch gehalten hatte, konnte er sehen, dass ein Fehlurteil möglich war, ein vorschnelles, anfängliches Fehlurteil, genau wie es möglich gewesen wäre, das Bild richtig einzuschätzen, wie er es jetzt tat, und zu spüren, dass es echt war. Und dieses Fehlurteil hatte er gefällt.

Lucien wandte sich an die Anwesenden. »Ich räume meinen Irrtum ein«, sagte er; seine Zunge war so trocken wie Asche.

Er hatte mit Gelächter gerechnet, doch nur

ein Murmeln war zu hören, eine Art Seufzen. Es wäre ihm lieber gewesen, sie hätten ihn ausgelacht. Nein, ein Lächeln zumindest wurde getauscht, ein zufriedenes Nicken Font-Martigues registrierte, dass Lucien Montlehuc sich täuschen konnte. Lucien wäre recht elend zumute gewesen, wenn er das nicht gesehen hätte. Aber niemand schien zu begreifen, welche Katastrophe sich in seinem Inneren abspielte. Das große Kartenhaus stürzte immer weiter zusammen. Zum ersten Mal in seinem Leben fühlte er sich den Tränen nahe. Er sah sich ohne seine Kunstgriffe, ohne seinen arroganten Glauben an die eigene Unfehlbarkeit – ein Fragment von einem Menschen, nicht einmal fähig, aufrecht zu stehen, ein jämmerliches Bruchstück. Für eine kurze Weile lastete das volle Gewicht der Wirklichkeit auf Luciens Geist, den es fast brach.

»Wenn Sie mir das Bild zurückverkaufen wollen, Lucien«, sagte Gastons Stimme freundlich, die wie aus weiter Ferne in Luciens künstliches Ohr flüsterte, »zahle ich Ihnen selbstverständlich den Preis, den Sie – «

»Nein. Nein, ich danke Ihnen, Gaston.« Das setzte seiner Unvernunft die Krone auf! Was wollte er mit einem echten Bild anfangen? Lucien stolperte auf Mademoiselle Duhamel zu. Er stolperte mit seinem künstlichen Bein.

Mademoiselle Duhamels Miene war so gelassen, als wäre nichts geschehen. »Warum tun Sie nicht so, als wäre es Absicht gewesen?«, fragte sie ihn außer Hörweite der anderen. »Warum tun Sie nicht so, als wäre die ganze Sache ein Scherz gewesen?«

Ihre Miene war geradezu siegesgewiss, dachte Lucien. Er sah sie für einen langen Moment an, versuchte, Kraft aus ihr zu ziehen, doch es gelang ihm nicht. »Aber es war kein Scherz«, sagte er.

Dann waren die Gäste fort. Nur er und Mademoiselle Duhamel blieben zurück. Und der echte Giotto. François, der im Hintergrund wie ein stummer Chor in der Tragödie Zeuge der Niederlage seines Herrn geworden war, hatte sich als Letzter entschuldigt und sie verlassen.

Lucien setzte sich schwerfällig auf das Sofa.

»Ich werde das Bild behalten«, sagte er langsam und mit stiller, tiefer Bitterkeit. Er erkannte seine Stimme nicht wieder, obwohl er wusste, dass dies seine echte Stimme war, die Stimme des Fragments eines Menschen. »Es wird das eine Original sein, das die Reinheit meiner Fälschungen trübt. Nichts im Leben ist unverfälscht. Nichts ist nur das eine und sonst nichts. Nichts ist absolut. Als junger Mann glaubte ich, keine Kugel könnte mir etwas anhaben. Und dann wurde ich von einer ganzen Granate getroffen. Ich glaubte, ich könnte mich nie in einem Bild irren. Und heute dieses Fehlurteil in aller Öffentlichkeit!«

»Aber wussten Sie denn nicht, dass es nichts Absolutes gibt? Das weiß sogar meine Katze!«

Lucien warf Mademoiselle Duhamel einen grimmigen Blick zu. In den letzten Minuten hatte er ihre Gegenwart fast vergessen. Und jetzt ging sie ihm ebenso sehr auf die Nerven wie in Gastons Salon, als sie ihn angesprochen hatte.

Sie stand neben dem kleinen dreibeinigen Konsoltisch, auf dem ihre grünen Netzhandschuhe lagen und ihre große, schlichte Handtasche, die so flach war wie ihr Körper. Sie sah ihn besorgt an, als sei sie für einen Moment ratlos. Dann kam sie zu ihm, setzte sich neben ihn auf das Sofa und nahm seine Hand. Es war zufällig die künstliche Hand, doch, falls es sie überrascht haben sollte, ließ sie sich nichts anmerken. Sie hielt seine Hand so liebevoll, als wäre sie echt.

Lucien wollte seine Hand zurückziehen, doch er beschränkte sich darauf zu seufzen. Was tat es schon zur Sache? Doch dann ließ ihn die Berührung, die er nicht spüren konnte, ein weiteres, ein älteres Fehlurteil erkennen. Er hatte geglaubt, er könnte nie Nähe zu einem anderen Menschen fühlen, könnte so etwas nie zulassen. Doch jetzt fühlte er sich Mademoiselle Duhamel nah. Er fühlte sich ihr näher als François, dem einzigen anderen Menschen, der um das große Kartenhaus wusste, das Lucien Montlehuc ausmachte. François, dieser junge Dummkopf, hatte nicht gelitten, wie Mademoiselle Duhamel gelitten hatte. Lucien empfand Zärtlichkeit und Bewunderung für sie. Auch sie lebte in einem Kartenhaus. Doch wenn nichts absolut war, dann war auch ein Kartenhaus nichts Absolutes. Er konnte es wiederaufbauen, nur würde es nie vollkommen sein und war es nie gewesen. Wie einfältig von ihm! Von ihm, der sich stets so viel auf sein Wissen um die Unvollkommenheit aller Dinge, auch der Kunst, zugutegehalten hatte! Voller Staunen blickte Lucien auf seine und Mademoiselle Duhamels verschlungenen Hände. Es war so viele Jahre her, dass er jemanden zum Freund gehabt hatte.

Sein Herz begann wie das eines Verliebten zu klopfen. Wie angenehm wäre es, dachte er plötzlich, Mademoiselle Duhamel bei sich zu Hause zu haben, wo sie ihm und seinen Gästen vorspielen würde, ihr Luxus zu schenken, den sie sich nie hatte leisten können. Lucien lächelte, denn ein Gedanke war durch seinen Geist geglitten wie der Schatten eines Vogels übers Gras. Heiraten, na so was! Hatte er nicht eben erst begriffen, dass nichts je vollkommen war? Warum sollte er verbessern wollen, was sich nicht verbessern ließ – das Glücksgefühl, das er in diesem Augenblick neben Mademoiselle Duhamel verspürte?

»Mademoiselle Duhamel, könnten Sie sich vorstellen, meine Freundin zu sein?«, fragte Lucien, ernsthafter, wie er verschämt merkte, als die meisten Männer bei Frauen um ihre Hand anhalten. »Könnten Sie sich vorstellen, mit einem Mann befreundet zu sein, der nur im Innersten seines ehrgeizigen Herzens und in seinem Wunsch, ihr Freund zu sein, aufrichtig ist? Mit einem Mann, dessen rechte Hand nicht einmal echt ist?«

Mademoiselle Duhamel flüsterte voller Verehrung: »Ich dachte gerade, dass ich die Hand eines Helden halte.«

Lucien richtete sich ein wenig auf. Die Worte hatten ihn völlig verblüfft. »Die Hand eines Helden«, sagte er sarkastisch, doch nicht ohne Genugtuung.

Jean-Claude Izzo

Warten auf Gina

Für Brigitte und Jean-Luc

Sie waren in einer Pizzeria ›Chez Michel‹ in der
Rue d'Aubagne. Giovanni konnte die Augen
nicht von der Kellnerin lassen. Eine kleine Braun-
haarige, zum Anbeißen. Bestimmt genauso lecker
wie die Pizza in seinem Mund. Er hörte praktisch
nichts von dem, was sein Kumpel sagte. Pepi, ein
Neapolitaner wie er. Ein bisschen natürlich schon,
aber nur mit halbem Ohr, da seine Augen den Bewegungen der Kellnerin folgten. Ihre Blicke hatten sich gekreuzt. Und Giovanni hatte in ihren
Augen gelesen, was er wissen wollte. Er war ihr
nicht gleichgültig.

»He, Giovanni! Hörst du mir zu?«

»Na klar«, sagte er. »Du willst wissen, wie ich
mich entschieden hab. Stimmt's?«

»Und?«

Eigentlich hatte er nichts entschieden.

Pepi hatte ihm vorgeschlagen, seinen Urlaub
mit ihm in San Giorgio zu verbringen, einem klei-

nen Fischerdorf in der Nähe von Neapel. Seit fünf Jahren, seit er einen guten Job hatte, fuhr Pepi mit seiner Frau Sandra und den beiden Kindern jeden Sommer dorthin. Im letzten Jahr war Giovanni bei Pepi gewesen und hatte ihm geholfen, das Dach des Familienhauses zu reparieren.

»Ich versprech dir«, nahm Pepi den Faden wieder auf, »wir arbeiten nicht. Einfach nur nichts tun …«

»Sandra hat mir gesagt, dass sie die Küche neu streichen will.«

»Die Küche ist schnell gemacht. Wir werden angeln gehen. Ich hab diesem armen Vinçenzo sein Boot abgekauft.«

Pepi wartete auf eine Reaktion von Giovanni. Aber es kam nichts. Er schien in Gedanken verloren. In düsteren Gedanken, das konnte man aus seinem Gesicht ablesen. Pepi verstand Giovanni nicht. Er hatte alles, um glücklich zu sein. Er war schön, intelligent, Junggeselle, und es gelang ihm alles. Er ist wie sein Vater, sagte Sandra immer, alles, was er anfasst, verwandelt sich in Gold.

Sandra wusste, wovon sie redete. Sie hatte mit ihm geschlafen, ein Jahr lang, bevor sie Pepi heiratete. Sie erinnerte sich immer noch an Giovannis Hände auf ihrem Körper. Noch nie hatten die Zärtlichkeiten eines Mannes sie so schön gemacht. Aber Giovanni war ein Mann für die Liebe, kein Mann, den man heiratete. Das hatte sie ihm gesagt. Nicht die Liebe machte ihr Angst, sondern die Vorstellung, das Leben zu vergeuden. Nichts aufzubauen. Am Leben interessierte sie nur die Zukunft.

»Was mich antreibt«, hatte Giovanni geantwortet, »ist nicht, mich zu verheiraten, Kinder zu kriegen und all das ... sondern die Liebe.«

»Die Liebe?«

»Lieben ist so etwas, wie in den Krieg zu ziehen. Man weiß nicht, ob man lebend zurückkommt.«

Sandra hatte sich schweigend wieder angezogen, rasch und indem sie ihm den Rücken zudrehte. Ihr war plötzlich klargeworden, dass sie ihr Leben mit Pepi verbringen wollte.

Giovanni hatte gelächelt, als sie gegangen war. Sie hatte nicht mal gewagt, ihn zu fragen, ob er sie liebte. »Ciao«, hatte sie gemurmelt. Auf dem Bett ausgestreckt, war er stundenlang liegen geblieben, hatte geraucht und auf die Tür gestarrt, die sie hinter sich zugezogen hatte. Hinter ihnen. Ihrer Liebe. Einer Liebe, die ihn ohne die geringste Verletzung zurückließ. So dachte er zumindest.

Das war vor zehn Jahren gewesen. Sandra war immer noch schön, aber sie war keine begehrenswerte Frau mehr. Weil sie selbst nicht mehr begehrte. Nicht wie diese Kellnerin, die mit einem hübschen

Lächeln auf den Lippen an ihrem Tisch stehen-
blieb.

»Wünschen Sie noch etwas?«

Eine Formulierung, die Giovanni mochte.

Dann, er wusste nicht, wie oder warum, begann sie, von ihren Ferien zu sprechen. Sie hatte
ab nächster Woche Urlaub. Sommerpause. Es war
das erste Mal, dass der Wirt so etwas machte, dass
er für zwei Wochen die Pizzeria schloss. Sie wollte
die Zeit nutzen und überlegte, in die Berge zu fahren. In die Alpen.

»Gefällt es Ihnen in den Bergen?«, mischte Pepi
sich ein.

Sie zuckte mit den Schultern.

»Ich war noch nie dort. Und Sie?«, fragte sie
Giovanni und blickte ihm tief in die Augen.

Sie hatte herrliche Augen. Schwarz. Glühend.
Ob sie Männer wohl immer so ansah?, fragte er
sich.

»Ich auch nicht. Mir graut davor, all diese Berge.
An Ihrer Stelle würde ich nach Tunesien fahren.«

Er hätte wetten mögen, dass sie Tunesierin war.
Keine Spanierin. Bestimmt keine Italienerin. Tunesierin.

Sie brach in Gelächter aus.

»Da komm ich doch her. Dorthin zu fahren, das
wären ja keine Ferien.«

»Immerhin besser als die Alpen.«

Das hatte sie wahrscheinlich nicht mehr gehört, da sie bereits zum Nachbartisch gegangen war, um eine Bestellung aufzunehmen.

»Lass es sein, Giovanni«, sagte Pepi.

»Was?«

»Die Kellnerin. Lass sie in Ruhe.«

»Ich sag dir ganz offen, ich hab nichts entschieden.«

»Wegen der Kellnerin?«

»Nein, für den Sommer. Ob ich mit euch fahre.«

Pepi blickte Giovanni an und grinste: »Gina … Gina hat gefragt, ob du mitkommst.« Er zwinkerte mit den Augen.

Genau das war es, was Giovanni Sorgen machte. Gina. Er musste ständig an sie denken. Kaum neunzehn Jahre alt. Er hatte ihr im letzten Sommer nicht widerstehen können. An dem Tag, als ihre Geschichte im Dorf bekannt geworden war, hatte es eine Keilerei gegeben. In San Giorgio war es nicht wie in den großen Städten, man hatte noch Prinzipien. Man schlief erst nach der Hochzeit miteinander. Ehen wurden meist zwischen gleichaltrigen jungen Leuten geschlossen. Und man hütete sich vor Junggesellen wie vor der Pest.

Während des ganzen Monats, den Giovanni im Dorf geblieben war, hatten die Männer ihn mit bösen Blicken verfolgt. Er hätte zum Liebhaber ihrer Frau werden oder, noch schlimmer, ihre Töchter entjungfern können. Sie wussten alle nur zu gut, dass die Liebe nur in Freiheit aufblühte. Giovannis Freiheit war ein Affront.

Und Gina war die Tochter des Bürgermeisters von San Giorgio. Das machte den Affront noch größer.

»Hat sie sonst noch was gesagt?«, fragte Giovanni besorgt.

»Nein, warum?«

»Nur so.«

»Verdammt hübsch, die Kleine …«

Hübsch war nicht das richtige Wort. Gina war jenseits dessen, was Giovanni bei Frauen zu finden hoffte. Sie mochte die Verführung nicht, die der Liebe vorausgeht. Sie liebte die Liebe wegen der Liebe. Er erinnerte sich, wie sie bei ihrer letzten Begegnung in dem verlassenen Schafstall, in dem sie sich nachmittags trafen, gesagt hatte:

»Wir haben uns gefunden. Aber das löst nicht das Problem meines Lebens. Und deines auch nicht.«

Sie hatte das ohne jedes Gefühl gesagt. Ganz kalt. Er hatte gespürt, wie ihm dabei Schauer über den Rücken gelaufen waren. Er hatte noch nie darüber nachgedacht, was es bedeuten könnte, das

Problem seines Lebens zu lösen. Er glaubte nicht, dass es jemals eine Lösung für irgendetwas geben könnte.

Die Weinflasche war leer.

Giovanni gab der Kellnerin ein Zeichen, indem er mit der Flasche winkte. Sie brachte noch eine. Wieder einen Côtes-de-Provence, der hatte ihm schon immer am besten geschmeckt.

»Ist das ein Freund von Ihnen?«, fragte sie Pepi.

»Er heißt Giovanni und geht gern angeln«, scherzte er.

»Ich heiße Walissa und bin noch nie angeln gegangen.«

Sie öffnete die Flasche, indem sie sie zwischen die Schenkel klemmte. Giovanni sah ihr zu.

»Der lässt sich trinken, nicht wahr?«, sagte sie und füllte erst sein und dann Pepis Glas.

Giovanni antwortete nicht. Es war nicht ihre Schuld, dass der Wein nicht ganz in Ordnung war. Sie hatten doch noch eine Flasche bestellt, also musste er gut sein. Er lächelte. Schon jetzt war er bereit, die Schwächen dieses Mädchens zu akzeptieren.

Walissa schien das zu ahnen. Giovanni spürte, wie ihre Hand seine Schulter streifte, als sie fortging.

Er wusste, dass sie ihn hinterher fragen würde: »Liebst du mich?« Und er würde ja sagen, wie immer. Seit Sandra ihn verlassen hatte, hatte er zu allen Frauen ja gesagt. Wie oft war er seitdem in einer solchen Situation gewesen? In einem Bett neben einer Frau aufzuwachen, die er kaum kannte, und sich jedes Mal dieselbe Frage zu stellen: Sollte er sich mit ihr verabreden oder sich rausreden, um sie nicht wiederzusehen?

Er fühlte sich plötzlich traurig.

»Denkst du an sie?«, fragte Pepi, als er ihn lächeln sah.

»An die Kellnerin?«

»Nicht doch! An Gina.«

Sie war ohne zu zögern in den Schafstall getreten und hatte sich noch in der Tür zu ihm gewandt.

»Ich hab Lust auf dich.«

Genau das hatte sie auch gesagt, als sie sich am Morgen davor auf dem Dorfplatz begegnet waren. Genau das, und ganz langsam, als ob sie ihn die Süße jedes einzelnen Wortes schmecken lassen wollte. Von sich aus hätte er Gina nie angesprochen. Er wusste, dass sie die Tochter des Bürgermeisters war.

»Auf dem Weg nach Aurive, nach dem Essen, ich werde da sein«, hatte sie hinzugefügt.

Er hatte dieses erste Treffen nicht vergessen können. Dieses erste Mal. Gina zog sich genauso langsam vor ihm aus, wie sie ihn angesprochen hatte.

»Es sollte immer so einfach sein, ins Bett zu gehen«, hatte er gesagt, als er sich, ebenfalls nackt, neben sie gelegt hatte.

Sie hatte gelacht. Er hob ihre Haare hoch und zwang sie, sich im Profil zu zeigen. Er betrachtete die Wölbung ihrer Hüften. Sie legte sich auf den Rücken und betrachtete ihn ihrerseits, als ob sie alles von ihm sehen wollte. Dann streckte sie sich mit leicht gespreizten Beinen aus.

»Ja, das ist wirklich ganz einfach mit uns beiden.«

Sie spreizte immer noch die Beine und ließ ihre Hände über sein Geschlecht gleiten.

»Nimm mich, jetzt gleich.«

Er hatte Angst. Zum ersten Mal.

»Ihr Vater«, fuhr Pepi fort, »hat mir gesagt, dass er nichts dagegen hätte, wenn du sie heiraten würdest. Trotz des Altersunterschieds. Er weiß, dass du wohlhabend bist.«

Giovanni hob die Schultern. Was zwischen ihm und Gina war, hatte nichts Menschliches mehr an sich. Das war Krieg. Der Krieg der Liebe. Ihre Körper gingen bis zur Erschöpfung. Bis einer von ihnen aufgab. Kapitulierte. Am Ende war der Tod. Denn zu kapitulieren war unerträglich für sie.

»Hör auf, Pepi.«

»Verdammt, was bist du doch kompliziert!«

Nein, alles war »ganz einfach«. Er hatte irgendwo gelesen, dass es eine Theorie gab, der zufolge der Mensch in einem Zustand des labilen Gleichgewichts lebt, das sich im Laufe der Jahre immer mehr stabilisiert, bis zum Tod. Dieses Gleichgewicht wünschte sich Giovanni mehr als alles andere, und zwar auf der Stelle. Es war in Ginas Körper. Sie wusste das. Sie war ihm ähnlich.

An einem Nachmittag hatte sie ein kleines Päckchen zum Schafstall mitgebracht.

»Was hast du gekauft?«

»Ein Messer.«

»Wozu?«

»Einfach nur so. Ich weiß nicht, warum, aber immer wenn ich etwas kaufe, wird es irgendwann nützlich. Eines Tages.«

Sie öffnete das Päckchen und zeigte ihm das Messer. Ein wunderschönes Klappmesser mit einem beinernen Griff.

»Es gibt einen Typen in Luvaira, der sie herstellt. Du solltest dir eins kaufen.«

»Warum?«

Sie zuckte mit den Schultern.

»Vielleicht wirst du das eines Tages wissen.«

Sie hatte gelacht. Sie hatten sich geliebt. Aber Giovanni hatte sich kein Messer von dem Typen in Luvaira gekauft, den er eines Morgens aufgesucht hatte, um ihm bei der Arbeit zuzusehen.

»Möchten Sie ein Dessert?«, fragte Walissa.

»Für mich einen Kaffee.«

»Wir haben auch Tiramisu. Hausgemacht.«

»Das ist echt klasse«, sagte Pepi, der hier Stammgast war.

»Nun gut«, gab Giovanni nach. »Tiramisu, und dazu Kaffee.«

»Für mich auch.«

Du weißt ganz genau, sagte sich Giovanni, während er Walissa anlächelte, dass es völlig idiotisch ist, hinter diesem Mädchen herzulaufen. Aber jedes Mal, wenn sie sich ihm näherte, spürte er ganz deutlich, dass er sie begehrte. Er begehrte sie genau in diesem Moment. Mit diesen Gerüchen von Schweiß, Zigaretten, Olivenöl und Pizza, die ihre Körper durchdrangen.

Seine Augen trafen sich erneut mit Walissas Augen. Sie gehörte ihm. Er brauchte nur die Hand auszustrecken. Und das würde nichts ändern an dem Treffen, das Gina im letzten Sommer festgelegt hatte. Das Einzige, was er im Leben ernst nahm, war die Liebe.

Er lächelte noch einmal dümmlich, als sie mit der Rechnung zurückkam.

»Lass nur«, sagte Pepi, »das übernehm ich.«

»Und, was ist mit diesen Ferien?«, fragte Giovanni. »Immer noch Richtung Alpen?«

Sie lachte.

»Ich glaube, ich bleibe hier. In Marseille. Ich kenne niemanden, der ins Gebirge geht. Und ich bin nicht gern allein unterwegs …«

Giovanni stellte sich den Geruch des Kaffees vor, und sie, Walissa, wie sie ihm übers Haar strich, mit der Gebärde eines Menschen, der nach vielen Jahren wieder zurückgekommen ist. Aber das war ein anderer Traum.

Walissa und er.

Er konnte sich ein Glück mit ihr vorstellen, ein schnell gemachtes Glück, für immer. Jede Liebe, dachte er, bringt ebenso viele Lügen wie Wahrheiten mit sich. In jedem Augenblick trifft ein Stück Lüge einer Liebesgeschichte auf ein Stück Wahrheit einer anderen Liebesgeschichte. Sie vermischen sich. Und treffen auf weitere, und …

In Walissas Augen gab es bereits diese Hoffnung. Eines möglichen Glücks, gewoben aus Wahrheiten und Lügen. Eines einfachen Glücks.

Er stand aufrecht vor ihr. Sie wartete auf ein Wort von Giovanni. Keine zehn Zentimeter trennten sie. Er sagte sich, dass das Begehren ein verdammter Hurensohn ist, dem man nicht immer vertrauen kann.

Sie fuhr mit der Hand durchs Haar. Mit einem angestrengten Lächeln auf den Lippen. Befangen.

»Dann mal schöne Ferien«, sagte Giovanni.

Vor dem Restaurant verabschiedete er sich von Pepi und versprach ihm, bald anzurufen. Dann tauchte er in die Rue Longue-des-Capucins ein. In die Menge. In die Gerüche seiner Stadt.

Dort dachte er schließlich an das Messer, das Gina in der Hand hielt. Sie hielt es gerade vor sich, ihre Finger umklammerten den Griff wie seinen Schwanz. Mit Lust. Ja, er hatte ein Rendezvous mit ihr. Mit ihrem Körper. Mit der Messerklinge. Er spürte schon, wie es in voller Länge in ihn eindrang. Eine Handbreit, schätzte er.

Über Giovannis Wangen liefen Tränen. Er schluchzte. Frauen, mit einem Einkaufskorb am Arm, sahen ihn zärtlich an, aber keine hatte den Mut, ihm zu helfen.

Georges Simenon

Der zweifelhafte Monsieur Owen

I

Es war herrlich, hier zu sein, mit geschlossenen
Augen zu spüren, wie das Sonnenlicht durch
die gelben Vorhänge sickerte und über die Lider
strich, dass sie prickelten; vor allem war es herrlich, sich vorzustellen, dass es halb drei oder drei
Uhr nachmittags sein mochte, vielleicht später,
vielleicht früher, und dass obendrein diese Geißel
des Daseins, die man Uhr nennt, im Moment vollkommen unwichtig war.

Und das war noch nicht alles! In diesem Augenblick kamen eine Menge herrlicher Dinge zusammen. Zunächst die Landschaft, die Maigret zwar
nicht sah, weil er die Augen geschlossen hielt, aber
von der er wusste, dass sie da war, in Sichtweite:
die glatte Fläche des Mittelmeeres, wie man sie von
den großen Hotels in Cannes aus erblickt, mit dem
Gewimmel der glänzenden Maste im prachtvoll-
sten Hafen der Welt zur Rechten und ganz weit
draußen, in gleißendem Licht, die Îles de Lérins.

Sogar die Geräusche, die bis zu Maigret herauf-drangen, waren so etwas wie Geräusche des Luxus. Die Hupen der Autos waren keine gewöhnlichen Hupen, sondern größtenteils Signale langer und funkelnder Limousinen, die von Chauffeuren in Livree gesteuert wurden.

Die Frau, die sich im Appartement nebenan so-eben mit jemandem gezankt hatte, war eine Wie-nerin, eine berühmte Filmschauspielerin, auf die rund um die Uhr Dutzende von Autogrammjägern am Hoteleingang warteten.

Und das leicht enervierende Telefon, das im Appartement darunter unaufhörlich in Betrieb war, wurde verzeihlich, wenn man wusste, dass der Bewohner des betreffenden Appartements der Premierminister eines bedeutenden Staates an der Donau war.

Maigret hielt Siesta! Seit drei Tagen wohnte er in einem Luxushotel, im ›Excelsior‹, an der Croisette in Cannes, nicht etwa, um irgendeinen Anwärter auf das Zuchthaus oder einen internationalen Ga-noven zu verfolgen, sondern ausschließlich zu dem Zweck, sich zu erholen.

Dieses Wunder hatte nur geschehen können, weil mehrere Dinge zusammengekommen waren, und zwar hatte zuerst Tante Émilie – Madame Mai-gret hatte elf Tanten! – in Quimper schwer erkranken müssen, ohne dass sie jemanden hatte, der sie pflegen konnte.

»Wenn du mit mir mitkommst, wirst du dich bloß langweilen; im Übrigen ist es nicht ratsam, bei der Bronchitis, die du diesen Winter gehabt hast und die kaum ausgeheilt ist. Hast du mir nicht immer erzählt, du hättest einen Freund im Süden, der dich eingeladen hat?«

Maigrets Freund war niemand anderer als Monsieur Louis.

Für gewöhnliche Leute war Monsieur Louis nur der Portier eines Luxushotels, in einem mit goldenen Schlüsseln verzierten Gehrock, und die meisten Dummköpfe dünkten sich ihm überlegen, weil sie ihm ein Trinkgeld gaben.

Dabei hatte Monsieur Louis es zu akademischen Weihen gebracht, sprach fünf Sprachen, war lange Zeit Direktor eines großen Hotels in Deauville gewesen und hatte daraus den Schluss gezogen, dass der einzige Weg, im Hotelgewerbe Geld zu verdienen, darin bestünde, das Amt des Portiers zu bekleiden.

Dies hatte er auch an den Champs-Élysées in Paris getan, wodurch er so manches Mal Gelegenheit gehabt hatte, Kommissar Maigret, der damals noch im Amt war, einen kleinen Dienst zu erweisen, und der Kommissar revanchierte sich bisweilen, wie etwa damit, dass er einen Geldbetrag von hunderttausend Franc im Spülkasten einer Toilette auffand.

»Wenn Sie mal in den Süden kommen …«

»Das wird leider nicht vor meiner Pensionierung sein.«

Beides war Wirklichkeit geworden! Maigret hielt Siesta wie ein Pascha. Über einem Stuhl hing seine weiße Flanellhose, und darunter standen weiß-rote Schuhe, die sich ganz vortrefflich ausnahmen.

Leute kamen und gingen in den Fluren, redeten, sangen, telefonierten in den Appartements nebenan; Autos fuhren auf der Straße vorüber, und Frauen rösteten sich in der Sonne; in Paris stellte sich eine neue Regierung dem Parlament vor, und Hunderttausende von Franzosen bangten um die Börsenkurse; der Fahrstuhl glitt hinauf und hinunter, mit einem leisen Klick in jeder Etage.

Was konnte ihn das schon kratzen?

Maigret war glücklich! Er hatte für drei gegessen, für sechs getrunken und mit allen Poren so viel Sonne getankt, dass es für fünfzig Teilnehmer an einer Badehosenschau gereicht hätte.

Tante Émilie? Sollte es mit ihr tatsächlich zu Ende gehen, nun ja, sie hatte das Alter dazu, dann wäre es nur ärgerlich, dass er die Herrlichkeiten hier verlassen müsste, um sich zur Beerdigung in diese Bretagne zu begeben, in der es im März ergiebig regnen dürfte.

Er brummte, hob seine Wange vom Kopfkissen und lauschte all diesen Tönen, die zu einer Sinfonie verschmolzen, in der sich allerdings ein lauteres Geräusch als Solo durchsetzte.

»Herein!«, rief er endlich, als er das seltsame Schnarren der Türklingel erkannte.

Gleich darauf:

»Sie sind's, Monsieur Louis?«

»Haben Sie geschlafen? Ich bin untröstlich, Sie zu stören. Uns ist etwas wirklich Grauenhaftes passiert …«

»Würde es Ihnen etwas ausmachen, die Gardine aufzuziehen?«

So konnte er das Meer sehen, blau wie auf Aquarellen, mit einer weißen Yacht am Horizont und einem Gleitboot, das wie eine Hornisse brummend seine Runden zog.

»Wären Sie so freundlich, mir ein Glas Wasser zu bringen?«

Denn der Mittagsschlaf nach dem guten Essen hatte ihm einen schalen Geschmack auf der Zunge hinterlassen.

»›Etwas Grauenhaftes‹ haben Sie gesagt?«

»Im Hotel ist ein Verbrechen begangen worden.«

Monsieur Louis war ein intelligenter, ja durchaus vornehmer Mann, mit einem kleinen braunen Schnurrbart und einem verhaltenen Lächeln. Er hatte keineswegs erwartet, Kommissar Maigret, oder vielmehr Exkommissar Maigret, wie im Traum murmeln zu hören:

»Was Sie nicht sagen!«

»Ein äußerst mysteriöses Verbrechen.«

Benahm sich Maigret so unfein, weil er noch halb verschlafen war, oder protestierte er damit gegen die elegante Umgebung? Jedenfalls brummelte er nur:

»Tja, mein Lieber …«

»Es handelt sich um Monsieur Owen …«

»Sagen Sie mal, Louis, haben Sie denn die Polizei benachrichtigt?«

»Der zuständige Kommissar ist soeben eingetroffen. Der Untersuchungsrichter wird jeden Augenblick erwartet …«

»Na also?«

»Ich verstehe Sie nicht …«

»Sagen Sie mir nur noch eins, Louis: Wenn Sie zufällig verreisen und in einem Hotel absteigen, geben *Sie* dann den Gästen die Zimmerschlüssel und händigen ihnen die Post aus?«

Daraufhin erhob er sich, mit wirrem Haar, suchte seine Pfeife, stopfte sie, bekam einen blauen

Pantoffel zu fassen und musste in die Knie gehen, um den zweiten unter dem Bett hervorzuangeln.

»Ich dachte, es würde Sie interessieren«, entgegnete Monsieur Louis ein wenig verkniffen.

»Mich? Ganz und gar nicht …«

»Das ist schade …«

»Ich wüsste nicht, warum.«

»Weil mir jetzt schon klar ist, dass die Polizei nichts finden wird und dass nur Sie imstande wären, dieses Rätsel zu lösen …«

»Na so ein Pech für das Rätsel!«

»Sie haben mich nicht einmal gefragt, wer dieser Monsieur Owen überhaupt ist …«

»Das ist mir vollkommen egal.«

»Umso besser, weil niemand es weiß.«

Diesmal warf Maigret, der versuchte, die Enden seiner Hosenträger zu erwischen, die hinter seinem Rücken baumelten, Monsieur Louis einen verschmitzten Blick zu.

»So so! Niemand weiß es?«

»Ich hielt ihn für einen Schweden. Er sah wie einer aus. Diese Nationalität hat er im Übrigen auch auf seinem Meldezettel eingetragen. Sie wissen ja, in den Luxushotels unserer Kategorie verlangt man von den Gästen keinen Pass, und jeder schreibt hin, was er will. Nun hat man aber das Zimmer von Monsieur Owen durchsucht und keine Personalpapiere gefunden. Der schwedische Konsul, der seinen Sitz neben dem ›Excelsior‹ hat, behauptet, dass es einen Ernst Owen gegeben habe, aber dass der schon seit zehn Jahren tot sei.«

Maigret putzte sich die Zähne, griff erneut nach seiner Pfeife und fuhr sich mit einem nassen Kamm durchs Haar.

»Warum erzählen Sie mir das alles?«

»Nur so! Stellen Sie sich vor, dieser Ernst Owen ist schon vor drei Wochen bei uns abgestiegen, in Begleitung einer hübschen Krankenschwester, eines der hübschesten Mädchen, deren Anblick mir je vergönnt war – und in unserem Beruf ist die Auswahl groß!«

Maigret suchte unter den sechs neuen Krawatten, die seine Frau ihm aus Anlass dieser Reise geschenkt hatte, eine nach seinem Geschmack aus.

»Eine Blondine mit grauen Augen. Eines dieser Mädchen wie Milch und Blut, mit harmonischen Gesichtszügen, mit wohlgerundeten Formen, aber nicht üppig, eine verführerische Erscheinung ...«

Der ehemalige Kommissar wollte noch immer nicht zugeben, dass er die Ohren spitzte.

»Wir haben uns im Speisesaal sogar allerlei Gedanken darüber gemacht. Sie wissen ja, wie das ist ... Beim Essen wird eben geklatscht ... Die *maîtres d'hôtel* haben dieses und jenes gehört ...

Die vom Zimmerservice und die Etagenkellner steuern das Ihre dazu bei ... Die Zimmermädchen kriegen Intimes mit ... Kurz, dieser Monsieur Owen und seine Krankenschwester ...«

»War er denn krank?«

»Keineswegs. Jedenfalls ist mir davon nichts bekannt. Sie haben ihn sicher auf der Terrasse gesehen. Ein langer Herr, fast so lang wie König Gustav, ganz in Grau gekleidet, grauer Flanellanzug, graues Hemd, graue Seidenkrawatte, nur ein heller Panama und Schuhe aus weißem Wildleder. Obendrein eine graue Brille und Handschuhe aus grauem Zwirn ...«

»Handschuhe?«

»Jaja. Das ist noch nicht alles. Er stand jeden Morgen um zehn Uhr auf, ging hinunter und nahm immer im selben Korbsessel auf der Terrasse Platz, unter dem dritten Sonnenschirm. Die Hände auf seinen Stock gestützt, saß er bis ein Uhr dort und schaute aufs Meer hinaus, dann aß er zu Mittag, kehrte auf die Terrasse zurück und blieb bis fünf oder sechs Uhr, das heißt, bis es langsam kühl wurde. Danach ging er in sein Appartement hinauf, ließ sich ein kaltes Abendessen servieren und war den ganzen Abend nicht mehr zu sehen.«

»Hat man ihn umgebracht?«

»Um es genau zu sagen, in seinem Zimmer ist jemand umgebracht worden …«

»Er ist also nicht das Opfer?«

»Wohl eher der Mör…«

Monsieur Louis meinte, Maigret hätte mittlerweile angebissen und er könnte nun in weniger geheimnisvoller Weise fortfahren.

»Ich will Ihnen die Geschichte kurz erzählen. Als ich heute Morgen die Zeitungen aus Paris sortierte, sie treffen kurz vor elf Uhr ein, da wunderte ich mich, dass ich Monsieur Owen nicht an seinem gewohnten Platz sah. Ich glaube, ich habe es sogar einem der Pagen gegenüber erwähnt. Auf gut Glück drehte ich mich um und merkte, dass sein Schlüssel nicht am Brett hing … Nicht weiter wichtig! Zur Zeit des Aperitifs machte ich meine kleine Runde auf der Terrasse und stellte erneut fest, dass Monsieur Owen nicht da war.

Diesmal ging ich zur Rezeption und fragte Monsieur Henry:

›Ist Monsieur Owen krank?‹

›Ich weiß es nicht.‹

Genau in dem Moment, etwa zwischen Viertel nach zwölf und halb eins, sah ich die Krankenschwester weggehen, in einem hellgrünen Kostüm, das ihr ausgezeichnet stand. Da sie mir ihren Zimmerschlüssel nicht gab, hatte ich keine Gelegenheit, mit ihr zu sprechen. Ich dachte, sie ginge vielleicht Medikamente besorgen, und hätte ihr beinahe gesagt, dass die Apotheken geschlossen sein würden.

Um zwei Uhr rief mich schließlich der Etagenchef des vierten Stocks an und erkundigte sich, was mit Vierhundertzwölf los sei. Das ist das Appartement von Monsieur Owen. Die Tür war immer noch zugeschlossen, und es antwortete niemand. Daher bin ich hinaufgegangen; ich habe mit meinem Generalschlüssel aufgesperrt und war ziemlich überrascht, als ich auf dem Tisch neben einem zerbrochenen Glas eine leere Whiskyflasche vorfand.

Im Badezimmer entdeckte ich schließlich in der Wanne den nackten Leichnam eines Mannes …«

»Und dann?«, entfuhr es Maigret.

»Dann nichts! Es war nicht Monsieur Owen.«

»Was sagen Sie da?«

»Ich sage, dass es nicht Monsieur Owen war. Mein Beruf zwingt mich unter anderem dazu, Physiognom zu sein. Ich habe alle vor Augen, die das Hotel betreten und es verlassen. Ich kann versichern, dass ich diesen jungen Mann nie gesehen habe …«

»Pardon! Aber Monsieur Owen?«

»Genau das ist ja das Seltsame an der Geschichte.

Seine Kleider hingen in der Garderobe, und sein Gepäck war im Appartement, und zwar vollständig. Andererseits war in Vierhundertzwölf kein einziges Kleidungsstück vorhanden, das dem jungen Mann gehören könnte, dabei liegt doch auf der Hand, dass er das ›Excelsior‹ nicht nackt betreten hat.«

Maigret hatte sich vor das breite Fenster gestellt und schaute aufs Meer hinaus, wo man die Köpfe der Schwimmer aus dem Wasser auftauchen sah. Monsieur Louis, der hinter ihm stand, sagte sich, dass die Partie noch nicht gewonnen sei, und suchte nach einem neuen Köder.

»Vergessen Sie nicht, dass die hübsche Krankenschwester, wie ich Ihnen ja schon gesagt habe, das Hotel erst zwischen Viertel nach zwölf und halb eins verlassen hat. Der Arzt hat indessen soeben erklärt, dass der Tod des jungen Mannes, der nicht Monsieur Owen ist, in den frühen Morgenstunden eingetreten sein muss …«

»Hm! Hm!«, brummte Maigret, der sich immer noch sträubte.

»Das ist nicht alles. Monsieur Owen, der zu fürchten schien, dass ihn ein plötzliches Unwohlsein befallen könnte, oder aus sonstigen Gründen seine Krankenschwester in der Nähe haben wollte, hatte sie in Vierhundertdreizehn untergebracht, und die Verbindungstür zwischen den beiden Appartements war stets offen …«

»Umso schlimmer für sie«, sagte Maigret seufzend.

»Das finde ich auch. Die Herren von der mobilen Brigade haben bereits ihre Personenbeschreibung in alle Himmelsrichtungen geschickt. Sie neigen umso mehr dazu, sie für schuldig zu halten, als die Zeugenaussage eines Zimmerkellners unwiderlegbar ist. Um neun Uhr vormittags, als er durch den Flur ging und wie üblich an den Türen horchte, erkannte er in Vierhundertzwölf deutlich die Stimme der Krankenschwester. Zu diesem Zeitpunkt war das Verbrechen aber bereits begangen worden.«

Maigret hätte große Lust gehabt, aus Protest gegen die ganze Geschichte und gegen seinen unseligen Jagdtrieb seine Badehose und seinen roten Bademantel anzuziehen und sich am Strand in den Sand zu legen, um den Badenixen zuzuschauen.

»Das ist noch nicht alles«, fuhr der unerbittliche Monsieur Louis fort, der in seiner strengen Livree bisweilen an einen protestantischen Pastor erinnerte.

»Was gibt es denn noch?«

»Ich habe Ihnen nicht erzählt, wie der junge Mann gestorben ist.«

»Das ist mir auch egal!«, warf Maigret in einem letzten Anfall von Willenskraft rasch ein. »Da ziehe ich lieber in eine Familienpension, in der ich viel Geld bezahle und zu jeder Mahlzeit esse, was auf den Tisch kommt. Hören Sie, Louis, mir reicht es! Wenn ich meinen Aufenthalt hier damit bezahlen muss, dass ich wieder …«

»Ich bitte um Verzeihung«, murmelte der Portier untertänig und bewegte sich rückwärts auf die Tür zu.

Er kannte Maigret seit langem. Er wusste, dass er ihn nicht gehen lassen würde. Im Übrigen machte der ehemalige Kommissar gerade den Rücken rund, was immer ein gutes Zeichen war. Und ohne den Kopf zu wenden, fragte er:

»Woran ist er denn gestorben?«

Da erklärte Monsieur Louis im selben Tonfall, in dem er ›Der Wagen von Madame ist vorgefahren!‹ gesagt hätte:

»Er ist in der Badewanne ertränkt worden!«

Die Partie war gewonnen. Maigret hatte Blut geleckt, wie man so zu sagen pflegt.

Er hatte sich mit soundso vielen Verbrechen befassen müssen, und er hatte sich über so viele Leichen gebeugt, dass man einen ansehnlichen Dorffriedhof damit hätte bevölkern können.

»Falls Sie kommen wollen und einen Blick …«

»Nein, mein Lieber! Hören Sie mir gut zu: Ich möchte auf keinen Fall in diese Untersuchung hineingezogen werden. Haben Sie mich verstanden? Bei der ersten Zeile über mich in den Zeitungen verlasse ich sofort Ihr Etablissement, obwohl es vorzüglich ist. Außerdem werde ich mich um absolut nichts kümmern … Ich habe nichts dagegen, dass Sie mich auf dem Laufenden halten, einfach so, gesprächsweise … Falls mir dazu irgendetwas einfallen sollte, was unwahrscheinlich ist, werde ich mich allerdings nicht weigern, es Ihnen mitzuteilen …«

»Aber Sie wollen den Leichnam nicht sehen?«

»Sie werden ihn doch fotografieren, nicht wahr? Finden Sie Mittel und Wege, dass Ihnen der Erkennungsdienst ein Bild gibt!«

War es nicht eigentlich unverantwortlich, in Ruhe die Sonne und den Duft dieses mediterranen Frühlings genießen zu wollen? Jetzt, da er wieder allein war, kramte er in seinem Zimmer herum und suchte etwas, wusste aber nicht mehr was. Er redete sich ein, sehr schlecht gelaunt zu sein. Trotzdem konnte er sich, als er plötzlich seinem Spiegelbild begegnete, eines leisen Lächelns nicht erwehren.

»Diese Kerle haben ein gutes Gedächtnis!«, sagte er sich.

Leute, die immerhin etwas davon verstanden, denn ein Monsieur Louis war durchaus in der Lage, die Fähigkeiten eines Polizisten zu beurteilen. Nun ja, er hatte den alten Maigret nicht vergessen, obwohl der schon pensioniert war. Der Kommissar der mobilen Brigade, den man gerufen hatte, war vielleicht ein Ass. Trotzdem hatte Louis eine Viertelstunde lang zu mancher List gegriffen, um Maigret zur Mithilfe zu bewegen! Und er dürfte dabei nicht auf eigene Faust gehandelt haben. Der Inhaber des ›Excelsior‹ saß ihm sicher im Genick.

»Unter der Bedingung, dass ich da in nichts hineingezogen werde«, wiederholte er.

Noch etwas ließ ihn lächeln: sich in Flanellhose und weißem Hemd zu sehen, mit einer gestreiften Krawatte, die er, ohne es zu wissen, in den Farben einer englischen Universität ausgewählt hatte.

»Owen! Owen! Ganz in Grau! Grauer Anzug, graues Hemd, graue Krawatte. Donnerwetter! Handschuhe aus grauem Zwirn. Soso! Ich würde gern wissen, warum Monsieur Owen Handschuhe aus grauem Zwirn trug, wenn er es sich in der Sonne bequem machte.«

Er hörte die Telefone, das Kommen und Gehen draußen und das leise Klicken des Fahrstuhls nicht mehr. Etwas später begab er sich hinunter, nahm aber die Treppe, so sehr fürchtete er, den Polizeibeamten zu begegnen. Er stellte fest, dass Gäste in kleinen Gruppen in der Hotelhalle zusammenstanden, wohin die Neuigkeit trotz der getroffenen Vorsichtsmaßnahmen durchgesickert war.

Er ging, ohne stehen zu bleiben, an Monsieur Louis vorbei, der sich an seinem Schlüsselbrett zu schaffen machte, und gelangte auf die Croisette, über der eine so großartige Stimmung lag, dass es ein Verbrechen schien, den Leuten damit lästig zu fallen, dass man plötzlich in der Badewanne eines Monsieur Owen starb.

»Owen … Owen …«

Es war gerade die Tageszeit, zu der er seiner Frau schreiben sollte, und er suchte an einem Kiosk eine farbenprächtige Karte aus, auf der Yachten abgebildet waren, von denen jede ihre fünf Millionen wert war.

Schönes Wetter. Sonne. Habe Siesta gehalten. Das Leben ist schön!, schrieb er.

Er wollte Monsieur Louis nicht die Genugtuung verschaffen, dass er sich auf diesen Fall stürzte wie das Elend auf die armen Leute. Deshalb zwang er sich dazu, dreimal die Croisette entlangzulaufen, nicht ohne dabei nach den Gestalten in Badeanzügen zu schauen, die sich am Strand der Körperkultur hingaben.

»Owen … Owen …«

Das summte in ihm wie eine eingesperrte Fliege. Er hätte wahrlich nicht sagen können, was ihm keine Ruhe ließ!

»Owen … Owen, was soll das!«

Als die Sonne unterging, musste er sich zurückhalten, um seinen Schritt nicht zu beschleunigen. Der Hotelpage vor der Drehtür begrüßte ihn, und er entdeckte Monsieur Louis in angeregtem Gespräch mit zwei Engländern, die sich im Fahrplan der Eisenbahn nicht zurechtfanden.

Da der Portier ihm den Zimmerschlüssel nicht aushändigte und so tat, als würde er gar nicht sehen, dass er darauf wartete, blieb er, mit der Pfeife zwischen den Zähnen, dort stehen. Er musste eine lange Debatte über die Vor- und Nachteile zweier Züge mit anhören, dann gingen die Engländer endlich.

»Gerade eben hat die Verhaftung stattgefunden!«, verkündete Monsieur Louis sogleich.

»Sie haben Owen?«

»Seine Krankenschwester … Genau in dem Moment, als sie in Nizza aus dem Triebwagen stieg … Die Polizei hat mich sofort angerufen …«

»Was sagt sie denn?«

»Dass sie nichts weiß … Der Inspektor kommt gleich, um mir Einzelheiten zu erzählen …«

Maigret streckte die Hand aus, um den Schlüssel

entgegenzunehmen, der an einem schweren blanken Metallstern hing, auf dem eine Zahl stand.

»Das ist nicht alles …«

»Ich höre …«

»Das gesamte Personal ist aufgefordert worden, an dem Leichnam vorbeizudefilieren. Keiner hat den Mann jemals im Haus gesehen. Der Nachtportier, mein Kollege Pitois, den Sie ja kennen, ist sich darin ganz sicher. Obendrein hielt sich vergangene Nacht ein Polizist in der Halle auf, wegen des Ministers, der, wie Sie wissen, im ›Excelsior‹ weilt, und er bestätigt die Aussage von Pitois …«

Maigret streckte immer noch die Hand nach seinem Schlüssel mit dem Stern aus. Monsieur Louis ließ nicht locker:

»Wann kann ich Sie treffen?«

»Wozu?«

»Um Ihnen zu erzählen, was ich gleich erfahren werde. Ich habe um acht Uhr Dienstschluss. Es gibt in der Nähe des Hafens ein ruhiges kleines Restaurant. Das ›Pétanque‹ … Wenn Sie einverstanden wären …«

Man begegnete bereits Herren im Smoking. Maigret, dem nicht danach war, sich feinzumachen, aß deshalb lieber im Grillraum zu Abend. Der Himmel war malvenfarben, das Meer ebenfalls, nur etwas dunkler.

»Monsieur Owen …«, knurrte er.

Hätte er Louis denn nicht zum Teufel jagen können, anstatt sich den Kopf so zu zerbrechen, wie er es gerade tat!

Nichtsdestoweniger verzog er das Gesicht zu einer flüchtigen Grimasse, als er auf dem Weg in sein Stockwerk zwei Männer erblickte, die einen schweren, länglichen Gegenstand transportierten, zweifellos einen Sarg, den man mit einem Tuch verhüllt hatte, damit er weniger bedrohlich aussah. Die Träger schlichen wie Diebe an den Wänden des Hotels entlang, in dem nur Freude und Vergnügen eine Daseinsberechtigung hatten.

»Monsieur Owen …«

Der Sarg rief ihm Tante Émilie ins Gedächtnis und dass jeden Augenblick ein Telegramm mit der Nachricht von ihrem Tod eintreffen konnte. Die Ellbogen auf die Brüstung seiner Dachterrasse gestützt, zündete er sich schließlich eine Pfeife an und zuckte die Schultern, während vereinzelte Klänge der zum Aperitif gespielten Konzertmusik zu ihm heraufdrangen.

»Monsieur Owen …«

Und seine grauen Handschuhe! Aus grauem Zwirn! Was es nicht alles gab!

2

»Für mich ein Bier …«, sagte Maigret mit einem zufriedenen Seufzer und klopfte seine Pfeife auf den Fußboden aus.

Endlich ein richtiges Bier, in einem dicken Henkelkrug, und nicht so eine kleine Flasche ausländisches Bier, stilvoll im Kristallglas serviert, wie im ›Excelsior‹.

Im ›Pétanque‹ fühlte sich der ehemalige Kommissar in seinem Element, und infolgedessen bekamen seine Augen diesen abwägenden und zugleich durchdringenden Blick, an den man sich bei der Kriminalpolizei in Paris noch lebhaft erinnerte. Er strahlte wieder diese seltsame Sanftmut aus, die sich immer dann seiner bemächtigte, wenn sein Verstand am eifrigsten arbeitete.

Monsieur Louis neben ihm, im schwarzen Anzug, blieb sehr würdevoll, und es verging keine Minute, ohne dass jemand kam und ihn begrüßte oder ihm die Hand schüttelte, stets mit einem Anflug von Ehrerbietung. Dennoch waren hier an der Theke des kleinen Restaurants, auf der sich Schinkenbrötchen stapelten, mehr Smokings und dunkle Anzüge als Sakkos zu sehen und mehr Abendroben als Frauen in Straßenkleidung. Aber die Smokings waren die der Croupiers, an den dunklen Anzügen mit schwarzer Krawatte waren die Oberkellner zu erkennen und an denen mit weißer Krawatte die Eintänzer, während die hübschen Frauen die Animierdamen des Casinos waren.

»Gibt's was Neues?«, fragte Maigret und ließ seine Blicke über diese kleinen Leute schweifen, die ihm so vertraut waren.

»So viel, dass ich mir auf meinem Zettel Notizen gemacht habe. Wollen Sie sie abschreiben?«

Maigret schüttelte den Kopf, paffte kleine Wölkchen aus seiner Pfeife und schien sich für alles zu interessieren, was um ihn herum passierte, wobei ihm dennoch keine Einzelheit dessen entging, was Monsieur Louis ihm erzählte.

»Vor allem ist es noch nicht gelungen, das Opfer zu identifizieren. Seine Fingerabdrücke, die man per Funkbild nach Paris geschickt hat, sind in der Kartei des Palais de Justice nicht vorhanden. Es handelt sich um einen fünfundzwanzig bis siebenundzwanzig Jahre alten Mann mit angegriffener Gesundheit, der dem Morphium verfallen war. Im Augenblick des Todes stand er noch unter dem Einfluss des Rauschgifts.«

»Sie wollen doch nicht behaupten, dieser Unbekannte hätte das Zimmer vierhundertzwölf betreten, sich völlig nackt ausgezogen, um in der Badewanne von Monsieur Owen ein Bad zu nehmen, sei im warmen Wasser ohnmächtig geworden und unglücklicherweise ertrunken?«

»Nein! An seinem Hals und an seinen Schultern hat man blaue Flecken festgestellt, die ihm kurz vor seinem Tod zugefügt wurden, folglich von der Person, die den Kopf des Opfers unter Wasser gehalten hat.«

»Die genaue Todeszeit, Louis?«

»Warten Sie, ich muss nachsehen … Sechs Uhr morgens … Aber ich habe noch etwas Merkwürdiges erfahren … Sie kennen doch die Aufteilung der Appartements … Hinter jedem Badezimmer befindet sich ein separates WC … Diese WCs werden durch schräge Kippfenster von fünfzig auf fünfzig Zentimeter belüftet … Nun, in Vierhundertzwölf ist die Scheibe dieses Kippfensters mit einem Diamanten herausgeschnitten worden, was vermuten lässt, dass jemand eingestiegen ist … Draußen führt tatsächlich eine Nottreppe oder vielmehr eine Feuerleiter in der Nähe dieses Kippfensters vorüber. Ein Mann mit akrobatischem Talent hätte sich auf diesem Weg ins Hotel einschleichen können.«

»Um sich im Zimmer von Monsieur Owen auszuziehen und in dessen Badewanne zu setzen!«, wiederholte Maigret, der sich in diesen Punkt verbiss. »Ein bisschen komisch, finden Sie nicht auch?«

»Ich interpretiere nicht ... Ich gebe nur wieder, was man mir gesagt hat ...«

»Hat man die junge blonde Krankenschwester verhört?«

»Sie heißt Germaine Devon ... Sie besitzt wirklich ein Schwesterndiplom, und bevor sie in die Dienste von Monsieur Owen getreten ist, war sie die Krankenpflegerin eines anderen Schweden, eines Monsieur Stilberg, der vor etwas über einem Jahr gestorben ist ...«

»Selbstverständlich weiß sie nichts!«

»Absolut nichts! Sie hat Monsieur Owen in Paris kennengelernt, in der Halle eines großen Luxushotels, wo sie sich vorgestellt hat. Er hat sie engagiert, und seither reist sie mit ihm herum. Monsieur Owen war ihrer Auskunft nach ein ziemlich nervöser Mensch, der befürchtete, jeden Augenblick vom Wahnsinn befallen zu werden. Sein Vater und sein Großvater sind anscheinend in geistiger Umnachtung gestorben.«

»Und dennoch war er bei keinem Arzt in Behandlung?«

»Er hütete sich vor Ärzten, weil er Angst hatte, dass ihn einer in eine Anstalt einweisen würde ...«

»Womit verbrachte er seine Zeit, jede Nacht?«

»Aber ...«, wandte Monsieur Louis erstaunt ein, während er erneut seine Notizen durchlas. »Warten Sie … Ich glaube nicht, dass diese Frage gestellt wurde … Das wäre mir aufgefallen … Man muss wohl annehmen, dass er schlief …«

»Wann, behauptet Mademoiselle Germaine, da sie nun einmal so heißt, ihren Chef zum letzten Mal gesehen zu haben?«

»Heute Morgen ist sie angeblich wie immer gegen neun Uhr in sein Zimmer gegangen und hat ihm sein Frühstück gebracht, weil er nicht vom Hotelpersonal bedient werden wollte. Sie hat nichts Ungewöhnliches bemerkt. Die Tür zum Badezimmer war geschlossen, und sie ist nicht auf den Gedanken gekommen, sie zu öffnen. Monsieur Owen war, so behauptet sie, wie an jedem Morgen, und während er im Bett sitzend seinen Toast und den Tee zu sich nahm, bat er seine Krankenschwester, für ihn nach Nizza zu fahren, um einen Brief, der auf dem Nachttisch lag, zu einer bestimmten Adresse zu bringen, Avenue du Président Wilson, wenn ich mich richtig erinnere …«

»Dieser Brief?«

»Augenblick noch! Mademoiselle Germaine hat also den Zug bestiegen und ist am Bahnhof von der Polizei aufgegriffen worden. Sie hatte den Brief in ihrer Tasche, oder vielmehr einen Umschlag, der nur ein weißes Blatt Papier enthielt. Was die auf dem Umschlag angegebene Adresse betrifft, die existiert gar nicht, in der Avenue du Président Wilson gibt es keine dreihundertsiebzehn Hausnummern …«

Maigret winkte dem Kellner, er solle ihm noch ein Bier bringen, und rauchte eine Weile schweigend, ohne dass sein Begleiter ihn zu stören wagte.

»Nun?«, fragte er plötzlich ungeduldig. »Ist das schon alles?«

»*Pardon!* Ich glaubte …«

»Was glaubten Sie?«

»Dass Sie damit beschäftigt wären nachzudenken …«

Daraufhin zuckte der ehemalige Kommissar die Schultern, als wäre es dumm zu glauben, er könnte nachdenken!

»Sie informieren mich schlecht, Louis …«

»Aber …«

»Der Beweis dafür ist, dass Sie mir einen ganzen Abschnitt der Untersuchung verschweigen … Geben Sie doch zu, dass die Polizei Sie gefragt hat, welche Gäste seit heute Nacht das Hotel verlassen haben …«

»Das stimmt … Weil das aber nichts ergeben hat, dachte ich nicht mehr daran … Übrigens kann man strenggenommen nicht von einer heutigen Abreise sprechen, weil sie bereits seit gestern Abend angekündigt war …«

Maigret runzelte die Stirn, wurde noch aufmerksamer.

»Es handelt sich um Hundertdreiunddreißig, Monsieur Saft, ein junger, sehr vornehmer polnischer Herr, der um vier Uhr morgens geweckt werden wollte und das ›Excelsior‹ um fünf Uhr verlassen hat, um das Flugzeug nach London zu erreichen ...«

»Warum haben Sie eben erklärt, dass das nichts ergeben hätte?«

»Die Person in der Badewanne ist um sechs Uhr gestorben ...«

»Selbstverständlich haben Sie Monsieur Saft und Monsieur Owen nie zusammen gesehen?«

»Niemals! ... Im Übrigen hätten sie einige Mühe gehabt, einander zu begegnen, da Monsieur Saft den Großteil seiner Nächte im Casino oder in Monte Carlo verbrachte und sich tagsüber ausruhte ...«

»Und Mademoiselle Germaine?«

»Was meinen Sie damit?«

»Ging sie viel aus?«

»Ich gebe zu, dass ich darauf nie geachtet habe. Hätte ich sie abends weggehen sehen, ich glaube, das hätte mich überrascht. Meinem Eindruck nach hat sie ein ziemlich zurückgezogenes Leben geführt ...«

Durch die Fenster sah man das hell erleuchtete Casino und die nächtlichen Schemen der weißen Yachten.

»Hohe Einsätze heute?«, erkundigte sich Monsieur Louis bei einem Saalchef der Spielbank, der auf einen Sprung ins ›Pétanque‹ gekommen war, um sich etwas Szenenwechsel zu verschaffen.

»Wir haben gerade Bankos von hunderttausend gehabt ...«

Maigret schien eins zu sein mit der Bank, auf der er saß, und in seiner Ecke war der Rauch dichter als sonstwo im Lokal. Doch plötzlich erhob er sich, klopfte mit einer Münze auf den Tisch, zahlte und nahm seinen Hut, ohne sich im mindesten um seinen Begleiter zu kümmern, der ihm folgte.

Die Hände in den Hosentaschen, erweckte er den Eindruck, als hätte er nur das eine Ziel, auf der Mole spazieren zu gehen und das Meer zu betrachten, das im Mondlicht silbern glänzte.

»Das ist viel zu kompliziert ...«, murmelte er schließlich wie zu sich selbst.

»Ich dachte«, wandte Monsieur Louis diplomatisch ein, »Sie hätten schon Fälle aufgeklärt, die verwickelter waren als dieser ...«

Maigret blieb stehen, sah ihn nachdenklich an und zuckte die Schultern.

»Das hab ich damit nicht gemeint ...«

Er nahm seine Wanderung wieder auf und auch den Faden seiner Überlegungen. Vor dem Eingang zum Casino hielt ein Auto nach dem anderen, und die himmelblau gewandeten Pagen stürzten auf die Wagentüren zu. Durch die ausladenden Fenster konnte man die Umrisse der über die Roulette- und Bakkarattische gebeugten Spieler ausmachen.

»Angenommen ...«

Aus lauter Angst vor einer neuerlichen Abfuhr hielt Monsieur Louis beinahe den Atem an. Jeden Augenblick schien es ihm, als würde der Kommissar gleich den Kopf heben, um entschieden abzulehnen. Aber nein! Er fing einen Satz an, brach ab, grübelte vor sich hin, schüttelte verneinend den Kopf und schaute dabei drein, als wollte er, wie in der Schule, eine im Ansatz falsche Aufgabe von der Tafel löschen.

»Sagen Sie, Louis ...«

»Ja?«, fragte dieser hastig.

»Könnten Sie eigentlich durch das Kippfenster im wc einsteigen?«

»Ich habe es nicht versucht, aber ich glaube, dass ich es schaffen würde ... Allerdings bin ich nicht dick ...«

»Monsieur Owen war auch nicht dick ... Und der junge Mann in der Badewanne?«

»Eher lang und mager …«

»Und trotzdem …!«

Was wollte er mit seinem »Und trotzdem!«, sagen? Monsieur Louis ging auf Zehenspitzen, machte kehrt, wenn Maigret kehrtmachte, blieb stehen, wenn dieser vor irgendeinem Schiff stehen blieb, das er nicht einmal anschaute. Monsieur Louis hatte nur die eine Angst, er könnte seinen Begleiter sagen hören: ›Nun, nach reiflicher Überlegung will ich mich dieser Sache doch nicht annehmen …‹

Denn er hatte dem Inhaber des ›Excelsior‹ versprochen, sein Freund Maigret würde diese Angelegenheit innerhalb weniger Stunden aufklären, wie er es bei ihm so oft mit angesehen hatte.

»Sagen Sie, Louis …«

Das wurde ja fast zum Refrain, und jedes Mal zuckte der Portier zusammen.

»Diese Kippfenster, die sind doch im ganzen Hotel gleich, nicht wahr? Also meins hat eine Scheibe aus Mattglas. Da hängt wohl ein Stück Schnur dran, mit der man es auf- und zumachen kann, aber mir ist aufgefallen, dass es immer halb geöffnet ist …«

»Zur Belüftung!«, erklärte Monsieur Louis.

»Warum hat man sich dann die Mühe gemacht, die Scheibe mit einem Diamanten herauszuschneiden? Sie sehen doch ein, dass ich recht habe, *dass das zu kompliziert ist!* Und vergessen Sie eins nicht: Nur Amateure machen's kompliziert. Die Arbeit von Profis ist im Allgemeinen sauber, ohne Schnickschnack. Nur das, was nötig ist, mehr nicht! Hätte Monsieur Owen das Hotel am Morgen verlassen wollen, dann hätte er das unbekümmert tun können, durch den Haupteingang, weil man den Leichnam ja noch nicht entdeckt hatte. Warum, zum Teufel, ist dann diese Scheibe herausgeschnitten worden?«

»Vielleicht, um in das Appartement hineinzukommen?«

Kein Zweifel, Maigret war an diesem Tag auf Widerspruch eingestellt, denn er grummelte:

»Also, das ist zu simpel …«

»Da komme ich nicht mehr mit …«

»Das will ich hoffen! Sonst wären Sie verdammt schlau. Haben Sie, der Sie in Ihrem Leben Tausende von Leuten aus der Nähe gesehen haben, eigentlich viele gesehen, die zu jeder Tageszeit Handschuhe getragen haben?«

»Clemenceau zum Beispiel … Ihm lag daran, seine lädierten Hände zu verbergen … Ich habe auch eine alte Engländerin gekannt, der ein Finger fehlte und deren Handschuh einen künstlichen Daumen enthielt …«

Maigret seufzte und sah mit wahrhaft angewiderter Miene um sich.

»Das ist wie dieser Umschlag mit einem weißen Blatt darin … Soll ich Ihnen sagen, was ich glaube?«

Nichts wäre Monsieur Louis lieber gewesen, sein Gesicht strahlte.

»Nun ja, ich glaube, wenn man einen Dummkopf und einen höchst intelligenten Mann zusammenbringt … Nein! Das trifft es nicht ganz … Nehmen Sie einen Profi und einen Amateur … Jeder kommt mit seiner eigenen Idee an … Jeder hat seinen eigenen Plan … Jeder möchte sein Teil dazu beitragen, koste es, was es wolle, und dabei kommt dann ungefähr das heraus, was Sie gesehen haben … Die Scheibe im WC zum Beispiel, die geht auf das Konto des Amateurs, denn die Leute vom Fach machen sich schon seit einer Ewigkeit nicht mehr mit einem Diamanten an Glasscheiben ran … Aber der Brief nach Nizza …«

»Glauben Sie, dass die Krankenschwester …«

Sie gingen an einem offenen Fenster vorüber, aus dem Musik kam, und Maigret schielte mürrisch nach den tanzenden Paaren.

»Wenn ich mir vorstelle, dass die Tante meiner Frau jetzt gerade … Ich wünsche mir beinahe, dass es schon vorbei wäre, dass mich im Hotel ein

Telegramm erwartet und dass ich den nächsten Zug nehmen muss, um in Quimper das Trauergeleit anzuführen ... Ist Ihnen wenigstens etwas aufgefallen, wenn Sie mir schon diesen ganzen Schlamassel einbrocken?«

»Was denn ...?«

»Nein! Ihnen ist nicht einmal aufgefallen, dass Mademoiselle Germaine als Erstes bei einem Schweden im Dienst stand ... Ich drücke mich deutlicher aus: Sie war die Krankenpflegerin eines echten Schweden, der wirklich krank war und der obendrein daran gestorben ist ... Übrigens, wo hat man sie denn hingesteckt?«

»Wen?«

»Die Krankenschwester, natürlich!«

»Man hat sie wieder freigelassen ... Selbstverständlich wird sie weiterhin von der Polizei überwacht, und man hat sie gebeten, Cannes nicht zu verlassen ... Im Moment müsste sie im Hotel sein ...«

»Und das haben Sie nicht gleich gesagt, Sie Idiot?«

»Ich wusste nicht, dass ...«

»Wohnt sie immer noch in ihrem Appartement?«

»Vorerst ja ...«

Maigret kehrte der Mole den Rücken und ging nun mit großen entschlossenen Schritten die Croisette entlang. Ab und an sah man in der Dunkelheit ein regloses Paar.

»Steht der Inspektor vor ihrer Tür?«

»Nicht direkt … Er hält sich in ihrem Stockwerk auf, um sie zu überwachen … Unten in der Halle ist noch einer …«

Das war ein sehr ungünstiger Augenblick, um Maigret zu verärgern, da ihm endlich eine Idee gekommen zu sein schien, die er in die Tat umsetzen wollte.

»Sagen Sie, Louis …«

Maigret lächelte, als er sich diesen Satzanfang aussprechen hörte, denn er klang wahrhaftig schon wie eine alte Leier.

»Was hat er denn getrunken, Monsieur Owen?«

»Darauf kann ich Ihnen antworten … Von meinem Platz aus konnte ich ihn nämlich den ganzen Tag auf der Terrasse sehen, und mir ist aufgefallen, dass er nie etwas anderes als Mineralwasserflaschen vor sich hatte …«

»Und Mademoiselle Germaine?«

»Das weiß ich nicht. Sie setzte sich nie auf die Terrasse. Ich kann mich morgen bei ihrem Ober und beim Etagenkellner danach erkundigen …«

Trotzdem musste jemand den Whisky aus der Flasche getrunken haben, die man leer im Zimmer vorgefunden hatte!

»Können Sie mir diese Auskunft nicht vor morgen beschaffen?«

»Ich werde den Getränkekellner fragen, der Nachtdienst hat ...«

Das taten sie. Die Hotelhalle war verwaist. Ein Polizist, den Maigret geflissentlich übersah, saß auf einem mit karmesinrotem Samt bezogenen Bänkchen und las Zeitung. Der Nachtportier begrüßte seinen Kollegen vom Tag und reichte Maigret den Zimmerschlüssel.

»Ruf mal Baptiste an!«

Telefon. Ein paar Worte hin und her.

»Ja ... Komm einen Moment herauf ...«

Die Hälfte der Hotelhalle lag im Dunkeln, und in diesen Teil zog sich Maigret zurück, um den Getränkekellner auszufragen.

»Vierhundertzwölf und Vierhundertdreizehn? ... Warten Sie! ... Nein! ... Ich habe ihnen nie Schnaps serviert ... Gestatten Sie, dass ich meinen Notizblock hole ...«

Als er zurückkehrte, war er ganz sicher.

»Weder in Vierhundertzwölf noch in Vierhundertdreizehn habe ich je Whisky serviert ... Ich habe soeben die Getränkebons durchgesehen, und es ist auch tagsüber keiner serviert worden ... Nur Mineralwasser ...«

Monsieur Louis fürchtete immer noch, Maigret könnte den Mut verlieren. Ihm kam es vor, als würde jede neue Auskunft die ganze Angelegenheit nur noch undurchsichtiger machen, und er beobachtete den Kommissar verstohlen.

»Möchten Sie, dass ich Sie zu ihr bringe?«

»Ich gehe allein …«

»Soll ich auf Sie warten?«

»Nein! Wir sehen uns morgen … Halten Sie sich auf dem Laufenden über das, was die Polizei herausfindet …«

Er ging zunächst in sein Zimmer zurück, kämmte sich kurz und wischte sogar mit einem Tuch über seine von der Croisette staubigen Schuhe.

Ursprünglich hatte er die Absicht gehabt, an die Tür der Krankenschwester zu klopfen, die eine Etage unter ihm wohnte. Aber als er drauf und dran war, sich ins Treppenhaus hinauszubegeben, fiel ihm ein, dass er vielleicht durch die geschlossene Tür mit ihr verhandeln musste, was den Inspektor der mobilen Brigade anlocken würde.

Er machte auf dem Absatz kehrt und schloss das Fenster, weil ihn der Anblick des silbrig glänzenden Meeres immer wieder von seinen Gedanken abbrachte. Auf dem Tisch stand ein Telefonapparat.

Schließlich hob er den Hörer ab und vernahm die Stimme des Telefonisten:

»Ja, bitte …«

»Verbinden Sie mich bitte mit Vierhundertdreizehn!«

Widerwillig stellte er fest, dass er ein wenig nervös war. Er malte sich aus, wie der Hotelangestellte einen Stöpsel in eine der Buchsen des Schaltpults steckte und ankündigte:

»Hallo! Zimmer vierhundertdreizehn? … Ein Gespräch für Sie …«

Es musste übrigens komplizierter gewesen sein, denn die Zeit verstrich, es klickte mehrmals, und wiederholt ertönten verworrene Zwischenrufe, ehe eine erstaunte Stimme fragte:

»Wer ist am Apparat?«

Maigret glaubte, die junge Frau vor sich zu sehen, schon zu Bett gegangen, vielleicht erschrocken, wer weiß, vielleicht hatte sie es auch noch nicht geschafft, das Licht einzuschalten.

»Hallo!«, sagte er. »Ist dort Mademoiselle Germaine Devon? Guten Abend, Mademoiselle …«

»Guten Abend, Monsieur …«

Sie war beunruhigt, das war sicher. Sie musste sich fragen, was man von ihr wollte.

»Hier spricht jemand, der zufällig die Whiskyflasche gefunden hat, die heute Morgen im Zimmer von Monsieur Owen stand …«

Vollkommene Stille.

»Hallo! … Hören Sie mich?«

Immer noch Stille, dann ein Klicken, das verriet, dass die junge Frau den Lichtschalter gefunden hatte.

»Ich weiß, dass Sie noch am Apparat sind. Und Sie kämen ganz schön in Verlegenheit, wenn ich auflegen würde …«

»Warum?«

Er triumphierte! Das »Warum« klang ängstlich. Es ließ noch eine gewisse Abwehrkraft erkennen, kein Zweifel, aber sie war bereits erschüttert.

»Vielleicht wäre ich bereit, Ihnen diese Flasche zurückzugeben … Allerdings müssten Sie sie in meinem Appartement abholen …«

»Wohnen Sie hier im Hotel?«

»In der Etage über Ihnen …«

»Was wollen Sie von mir?«

»Ihnen die Flasche zurückgeben.«

»Warum?«

»Können Sie sich das nicht denken?«

Erneut trat Stille ein, und Maigrets Nerven waren so angespannt, dass das Mundstück seiner Pfeife zwischen seinen Zähnen knackte.

»Kommen Sie ins Zimmer fünfhundertsiebzehn herauf … Am Ende des Flurs … Ein Eckzimmer … Sie brauchen nicht zu klopfen … Die Tür wird nur angelehnt sein …«

Daraufhin fragte die Stimme:

»Was muss ich mitbringen?«

»Ich merke, dass Sie verstanden haben … Sie wissen so gut wie ich, was die wert ist, nicht wahr? … Es wäre allerdings besser, nicht die Aufmerksamkeit des Polizisten zu erregen, der Ihre Etage überwacht …«

Er horchte noch einen Moment, legte auf, verharrte eine ganze Weile reglos, mit der Hand auf dem Telefonapparat, dann nahm er abermals den Hörer ab, von der plötzlichen Angst getrieben, dass ihm nicht genügend Zeit bleiben würde, alles zu tun, was er noch tun musste.

»Hallo! …« Er senkte die Stimme. »Vermittlung? … Ist Monsieur Louis noch unten? … Soeben weggegangen? … Ja, hier ist Fünfhundertsiebzehn … Hat er Sie informiert? … Gut … Also, ich möchte gern, dass Sie Folgendes machen … Vierhundertdreizehn wird vielleicht bald ein Gespräch anmelden … Ist es Ihnen möglich, mich so zuzuschalten, dass ich mithören kann? … Was sagen Sie? … Ja … Sonst komme ich hinunter in die Vermittlung, aber es wäre besser … Was? … Ja … Ja … Ich warte.«

Der Telefonist bat ihn, für einen Augenblick aufzulegen, weil er angerufen wurde. Gleich darauf rief er zurück.

»Hallo! … Zimmer fünfhundertsiebzehn? … Sie haben recht gehabt … Vierhundertdreizehn hat ein Gespräch nach Genf angemeldet …«

»Sind Sie sicher, dass es Genf ist?«

»Ich kann Ihnen sogar sagen, dass es das ›Hôtel des Bergues‹ ist, weil ich die Nummer kenne … Ich werde das Nötige tun, um Sie zuzuschalten … Es ist mit zehn Minuten Wartezeit zu rechnen …«

Zeit genug, um eine Pfeife zu stopfen und vor dem Eintreffen von Mademoiselle Germaine im Zimmer noch etwas aufzuräumen. Maigret war es eben nie gelungen, einen starken Ordnungssinn zu entwickeln.

3

Zehn Minuten lang hätte er den zehn, zwölf, fünfzehn Jahre alten Maigret, der er einmal gewesen war, am liebsten rechts und links geohrfeigt, weil der in der Schule beständig nur dreierlei Preise errungen hatte: den fürs Aufsatzschreiben in Französisch, den für Vortragskunst und schließlich den Preis fürs Turnen.

Irgendwo in der Ferne wiederholte eine Frauenstimme:

»Allô! … Ici l'Hôtel des Bergues, Genève …«

Dann übersetzte die Stimme automatisch, wie im Radio, die gleiche Ansage ins Englische, ins Deutsche.

»Hallo! ... Wen wollen Sie sprechen?«

»Würden Sie mich bitte mit Monsieur Smith verbinden«, sagte eine nähere Stimme, die wohl zu Germaine Devon gehören musste. Und Maigret ahnte, dass obendrein noch der Telefonist des Hotels in der Leitung war, dessen Neugierde er geweckt hatte.

Erstaunlich schnell meldete sich eine Männerstimme:

»*Hallo ...*«

Dann Germaine Devon auf Englisch, etwas, was geheißen haben musste:

»Ist dort Mister Smith am Apparat?«

Dann noch mehr Englisch am anderen Ende der Leitung, dann plötzlich eine, besonders auf der französischen Seite, sehr lebhafte Unterhaltung in einer Sprache, die nun nicht mehr Englisch, sondern Polnisch oder Russisch war.

Maigret konnte nur voll Bitterkeit den Teppich anstarren. Die Stimme der Krankenschwester klang erregt, drängend, die des Mannes zuerst erstaunt, dann ungehalten.

Sie erzählte eine lange Geschichte, und er unterbrach sie mit einigen Fragen. Anschließend musste sie sich wohl danach erkundigt haben, was sie zu tun hätte, und er wurde ärgerlich, machte ihr Vorwürfe wegen etwas, was sich der ehemalige Kommissar nicht im mindesten zusammenreimen konnte.

Plötzlich merkte Maigret, während er den Tisch betrachtete, dass ein wichtiges Accessoire fehlte, und ohne das Telefon loszulassen, klingelte er nach dem Kellner.

»Bring mir ganz schnell eine Whiskyflasche …«, verlangte er mit dem Hörer am Ohr.

»Voll? Mit wie viel Gläsern?«

»Voll oder leer! Ohne Gläser …«

Was mochte sie bloß sagen, mit dieser jetzt dumpfen, fast flehenden Stimme? Etwas mehr Neigung zum Sprachenlernen hätte bestimmt ausgereicht, um alles zu verstehen!

War der Bursche dort in Genf wirklich wütend? Manche Unterhaltungen in einer fremden Sprache erwecken diesen Eindruck bei Leuten, die sie nicht verstehen, und Maigret sah sich vor. Dem Rhythmus nach hätte er den Mann etwa so interpretiert:

›Pech für dich … Denk dir etwas aus! … Lass mich in Ruhe! …‹

Aber die Sätze konnten auch das Gegenteil bedeuten.

»*Pardon* …«, sagte jemand im Zimmer.

Es war der Kellner, der fragte:

»Welchen Whisky möchten Sie?«

»Eine eckige, braune Flasche, am liebsten leer …«

»Was sagen Sie?«

»Aber schnell, verdammt noch mal! Begreifen Sie denn nicht, dass Sie alles vermasseln?«

Ihm war heiß. Er geriet in Zorn. Hätte er doch nur Monsieur Louis dabehalten, der wäre wenigstens imstande gewesen, das Telefongespräch zu übersetzen.

»Hallo! Genf …«, säuselte schließlich eine französische Stimme. »Ist das Gespräch beendet?«

»Beendet!«, antwortete Genf.

»Hallo! ›Excelsior‹? … Haben Sie beendet? … Das macht drei Einheiten …«

»Danke … Guten Abend …«, gab der Mann von der Telefonzentrale des Hotels zurück.

Endlich kam der Kellner, voller Verachtung, mit seiner leeren Flasche auf einem silbernen Tablett. Maigret hatte kaum noch die Zeit, ihn hinauszuwerfen, als er schon jemanden die Treppe heraufkommen hörte. Er ließ die Tür angelehnt, drehte sich einmal um sich selbst, legte die Hände auf den Rücken und rief mürrisch: »Herein!«, kaum dass er die eiligen Schritte auf dem Teppich erahnte.

Germaine Devon stand mit misstrauischem Blick

in seinem Rücken, und er kehrte ihr immer noch den Rücken zu, als er sie aufforderte:

»Schließen Sie bitte die Tür ...«

Da es ihm nie gelungen war, Fremdsprachen zu erlernen, musste er, so gut er eben konnte, diese Schwäche überspielen, deshalb blieb er mit dem Gesicht zum Fenster stehen, drehte sich erst nach geraumer Zeit um und herrschte sie mit möglichst abweisender Miene an:

»Wie viel hat er gesagt, dass Sie zahlen sollen?«

»Wer?«

»Genf ... Wie viel? ...«

Wieder einmal zeigte sich, wie unterschiedlich die Auffassungen von weiblicher Schönheit waren. Monsieur Louis hatte ihm gesagt:

»Eine hübsche Blondine ...«

Und da noch von wohlgerundeten Formen die Rede gewesen war, hatte er sie sich ein wenig pummelig vorgestellt. Mademoiselle Germaine war vielleicht schön, aber sie war nicht hübsch. Ihre Gesichtszüge waren zwar ebenmäßig, aber doch hart, und ihre zu makellosen Formen ließen einen wahrlich nicht an weibliche Schwäche denken.

»Antworten Sie: wie viel?«

»Wie viel verlangen Sie?«

Die Flasche stand da, auf dem Tisch, zwischen

ihnen, und wenn sie erst einmal nicht mehr dastand, dann hatte der ehemalige Kommissar seine gesamten Trümpfe verloren.

»Die ist viel wert«, raunte er und versuchte, das schmierige Gehabe eines Erpressers nachzuahmen …

»Das kommt darauf an …«

»Worauf?«

»Auf die Flasche … Gestatten Sie?«

»Einen Augenblick … Wie viel?«

Sie war klüger, als er ihr einen Moment lang zugetraut hatte, denn er sah deutlich, dass sich ein gewisser Argwohn in ihren Blick geschlichen hatte.

»Ich möchte sie zuerst überprüfen …«

»Und ich möchte zuerst wissen, wie viel …«

»In diesem Fall …«, entgegnete sie und wandte sich zur Tür, als wollte sie gehen.

»Wenn Sie wollen!«

»Was werden Sie tun?«, fragte sie, während sie sich umdrehte.

»Ich werde den Inspektor rufen, der sich in Ihrer Etage aufhält. Ich werde ihm diese Flasche zeigen. Ich werde ihm sagen, dass ich sie im Zimmer von Monsieur Owen gefunden habe …«

»Es ist versiegelt worden …«

»Das hab ich mir schon gedacht … Wenn es sein muss, werde ich zugeben, dass ich einen Teil der

Siegel aufgebrochen habe ... Ich werde vorschlagen, die Flasche analysieren zu lassen, oder vielmehr das, was sie enthalten hat ...«

»Und was hat sie enthalten?«

»Wie viel?«, wiederholte er.

»Und wenn es nicht die richtige Flasche ist?«

»Ihr Pech! Ja oder nein ...«

»Wie viel verlangen Sie?«

»Sehr viel ... Vergessen Sie nicht, dass es um die Freiheit von ein oder zwei Menschen geht und zweifellos um jemandes Kopf ...«

Im selben Augenblick, in dem er das sagte, lief er bis zu den Ohren rot an vor Scham, denn ihm wurde urplötzlich bewusst, dass er einen unverzeihlichen Fehler begangen hatte. Anders als er, der das Gespräch der jungen Frau nicht verstanden hatte, beherrschte der Telefonist des Hotels, der es wahrscheinlich ebenfalls mit angehört hatte, gewiss mehrere Fremdsprachen.

Er hätte ihn nur anzurufen brauchen, bevor Germaine Devon bei ihm eintraf ...

Sei's drum! Es war zu spät! Die Pokerpartie hatte begonnen, und er musste den höchsten Einsatz riskieren.

»Wer sind Sie?«, fragte sie mit zusammengebissenen Zähnen und mit hinterhältigem Blick.

»Sagen wir, ich sei niemand ...«

»Polizei?«

»Nein, Mademoiselle …«

»Kollege?«

»Möglicherweise …«

»Sie sind Franzose, nicht wahr?«

»Sie auch, glaube ich …«

»Väterlicherseits … Aber meine Mutter war Russin …«

»Ich weiß …«

»Woher wissen Sie das?«

»Weil ich soeben das Gespräch mit angehört habe, das Sie mit Genf geführt haben …«

Im Stillen bewunderte er sie, denn er hatte selten einen Gegner von solcher Kaltblütigkeit vor sich gehabt. Sie ließ ihn keinen Moment lang aus den Augen, und er war vielleicht noch nie so scharfsichtig und so eingehend unter die Lupe genommen worden. Selbst die Art, wie sie den Mund verzog, drückte deutlich aus: ›Jedenfalls sind Sie nur ein kleiner Fisch …‹

Und sie schaffte es, sich unmerklich dem Tisch zu nähern, von dem sich Maigret wie zufällig entfernte. Als sie bis auf etwa einen Meter herangekommen war, streckte sie rasch den Arm aus, ergriff die Flasche, die nur Whisky enthalten hatte, roch daran, und augenblicklich bebten ihre Nasenflügel vor Zorn so sehr, dass Maigret, falls ein

Revolver in ihrer Reichweite gewesen wäre, nicht mehr viel für sein Leben gegeben hätte.

Nun folgten einige Silben, wahrscheinlich in Russisch, die der Kommissar nicht verstand, die aber dennoch den Abscheu der jungen Frau zum Ausdruck brachten.

»Ist es nicht diese Flasche da?«, spottete er, während er sich vorwärtsbewegte, um zwischen sie und die Tür zu treten.

Ein eisiger, furchterregender Blick.

»Ich bitte um Verzeihung ... Ich muss mich geirrt haben ... Da habe ich wohl dem Kellner die Flasche mitgegeben, in der das besagte Zeug drin war, und diese hier behalten ... Ich kann ja nach ihm läuten, um mich zu vergewissern ...«

»Was für eine Komödie spielen Sie eigentlich? Wer sind Sie? Was wollen Sie von mir? Geben Sie doch zu, dass Sie gar nicht auf das Geld aus sind ...«

»Sie haben es erraten.«

»Also? Lassen Sie mich vorbei ...«

»Nicht sofort!«

»Was haben Sie entdeckt?«

»Bisher nichts Genaues ... Allerdings bin ich sicher, dass wir zu zweit die ganze Wahrheit aufdecken werden ... Woran ist Ihr erster Chef gestorben?«

»Darauf antworte ich Ihnen nicht ...«

»Wie es Ihnen beliebt. In diesem Fall werde ich den Inspektor heraufbitten und die Unterredung dann in seinem Beisein fortführen …«

»Mit welchem Recht?«

»Das geht Sie nichts an.«

Allmählich bekam sie Angst vor diesem Mann, der nichts von sich preisgab und dem es nach und nach gelang, erschreckende Autorität über sie zu gewinnen.

»Sie sind kein Erpresser«, stellte sie mit Bedauern fest.

»Da haben Sie nicht ganz unrecht. Ich habe Sie etwas gefragt. An welcher Krankheit litt Monsieur Stilberg, dass er gezwungen war, stets eine Krankenschwester in seiner Nähe zu haben?«

In diesem Augenblick überlegte er noch, ob sie antworten oder ob sie nicht antworten würde. Er ging aufs Ganze und ließ sie dabei nicht aus den Augen.

»Er war morphiumsüchtig«, murmelte sie, nachdem sie mit sich selbst gerungen hatte.

»Genau das habe ich mir gedacht. Er hat doch gewiss versucht, davon loszukommen, und sich eine Krankenschwester genommen, damit sie ihm dabei hilft?«

»Er hat es nicht geschafft …«

»Das stimmt: Er ist gestorben. Aber ein Jahr lang

und mehr konnten Sie in aller Ruhe das Verhalten eines Morphiumsüchtigen beobachten. Hatten Sie zu dieser Zeit schon einen Liebhaber?«

»Erst gegen Ende …«

»Was war er von Beruf? … Sicher Student …«

»Woher wissen Sie das?«

»Unwichtig … Er war Student, nicht wahr? Wahrscheinlich studierte er Chemie … Es ging ihm gesundheitlich nicht gut … Während einer Krankheit hat er sich durch Morphium Erleichterung verschafft, was häufig der Beginn einer Rauschgiftabhängigkeit ist …«

Seit Jahren war es nicht mehr vorgekommen, dass er jemanden einem derartigen Verhör unterzogen hatte, einer Nervenprobe gewissermaßen, einem Verhör, in dessen Verlauf er alles erfahren musste, ohne jemals mit leeren Händen dazustehen. Ihm war heiß. Er hatte seine Pfeife, auf deren Mundstück er beim Sprechen herumbiss, ausgehen lassen. Er wanderte auf und ab und trauerte dem Quai des Orfèvres nach, wo er, wenn er erschöpft war, wenigstens einen Mitarbeiter um Entlastung bitten konnte. Zum Glück spornte ihn der Gedanke an, dass der Inspektor, der sie überwachen sollte, während der ganzen Zeit in der Etage unter ihnen wahrscheinlich friedlich auf einem Polsterbänkchen döste!

»Sie waren seine Geliebte geworden … Sie hatten keine Stelle. Er auch nicht … Hat ihn der Rauschgiftkonsum vielleicht daran gehindert, sein Diplom zu machen?«

»Aber …«

Man brauchte sie nur anzusehen, um genau zu wissen, dass alles, was der ehemalige Kommissar behauptete, genau der Wahrheit entsprach.

»Wer sind Sie?«

»Unwichtig! Um sich das Morphium zu beschaffen, musste sich Ihr Liebhaber wahrscheinlich mit gewissen Kreisen in Paris einlassen. Sie gingen mit ihm dort ein und aus … Unterbrechen Sie mich, wenn ich mich irre …«

Und so fuhr er unerbittlich mit seiner Ermittlung fort.

»Worauf wollen Sie hinaus?«

»Sie machten die Bekanntschaft eines Mannes, den wir bis auf weiteres Monsieur Saft nennen können, was sicher nicht sein richtiger Name ist … Ein Pole oder ein Russe … Wahrscheinlich Russe vor dem Krieg und Pole nach dem Krieg … Nun, wenn Ihnen der Name Saft nicht gefällt, können wir ihn auch Smith nennen und ihn im ›Hôtel de Bergues‹ anrufen …«

Das war der Augenblick, in dem Germaine sich setzte, ohne etwas zu sagen. Eine schlichte Bewegung, aber um wie viel beredter als alle weitschweifigen Tiraden! Sie musste weiche Knie bekommen haben. Sie sah sich um, als suchte sie etwas zu trinken, aber noch war der Zeitpunkt nicht gekommen, um sie von der Leine zu lassen.

»Er hat Ihnen am Telefon die Leviten gelesen, Ihr Monsieur Saft oder Smith, nicht wahr? Es war ja auch Ihr Fehler, Mademoiselle Germaine! Da ist ein Mann, der sein Handwerk versteht, ein internationaler Betrüger von beachtlichem Kaliber. Aber ja! Widersprechen Sie nicht! Wenn er da wäre, würde er Ihnen sagen, dass man sich in Ihrer Lage besser als gute Verliererin erweist. Sehen Sie, ich gebe ja zu, dass ich noch nicht weiß, was seine Spezialität ist. Schecks, Wechsel, falsche Wertpapiere oder falsche Ausweise? Das spielt überhaupt keine Rolle!«

»Sie bluffen!«, wagte sie einzuwenden, während sie ein Fünkchen ihrer Kaltblütigkeit zurückgewann.

»Und Sie? Sagen wir, dass wir beide bluffen … Ich habe Ihnen wenigstens etwas voraus: Sie wissen nicht, was ich weiß, und Sie wissen nicht einmal, was ich bin …«

»Ein Privatdetektiv!«

»Sehr heiß! … Trotzdem trifft es das noch nicht ganz … Monsieur Saft bringt Sie also auf den

Gedanken, sich die Kenntnisse Ihres Liebhabers zunutze zu machen ... Wie sollen wir ihn denn nennen?«

Sie bot ihm die Stirn:

»Sagen wir Jean ...«

In diesem Augenblick klopfte ein Nachbar, der am Schlafen gehindert wurde, an die Wand.

»Sagen wir Jean ... Und da wird dieser kranke und morphiumsüchtige Jean doch tatsächlich zum Mittelpunkt einer organisierten Bande. Er ist der einzige Amateur unter Profis ... Er will nur zur festgesetzten Zeit seine Spritze haben und sorglos leben ... Hier ist der Punkt, Mademoiselle Germaine, wo Sie intelligenter sein wollten als Ihre Komplizen und wo Sie einen Fehler gemacht haben ...«

Sie konnte nicht umhin zu fragen:

»Welchen?«

»Sie wollten sich nicht mit Ihrem Liebhaber in einem Zimmer am Montmartre oder im Quartier Latin vergraben ... Sie wollten auch nicht auf gut Glück in billigen Hotels wohnen ... Sie haben es für schlau gehalten, Ihrem Jean ein neues Ansehen und eine neue Identität zu verschaffen ... Sie waren vorher die Krankenschwester eines Schweden ... Also haben Sie Ihren Freund als Schweden zurechtgemacht, als einen Mann in mittleren Jahren

218

wie der andere, als einen, der ebenfalls wie der andere in Luxushotels abstieg, sich wie der andere in Grau kleidete und Stunden um Stunden in einem bequemen Sessel zubrachte ...«

Sie wandte den Kopf ab, und Maigret fuhr fort:

»Leute, die selbst nichts erfinden können, kopieren zwangsläufig ein Modell ... Sie haben Monsieur Owen so geschaffen, wie Sie Monsieur Stilberg im Gedächtnis hatten ... Und so war Ihr Jean Owen recht friedlich, wärmte sich den Großteil des Tages in der Sonne und bekam zur festgesetzten Zeit seine Spritze, nicht ohne vorher, davon bin ich überzeugt, seine kleine Arbeit abgeliefert zu haben ...«

»Was für eine Arbeit? Geben Sie zu, dass Sie nichts wissen ...«

»Ich gebe zu, dass ich zu Beginn dieser Unterredung nichts oder fast nichts wusste. Beruhigen Sie sich! Schauen Sie nicht so sehnsüchtig zur Tür! Ehe Sie unten an der Treppe wären, hätte ich längst mit dem Portier telefoniert ... Drei Dinge ließen mir keine Ruhe, drei Einzelheiten, die ins übrige Bild nicht hineinpassten: die grauen Handschuhe, die mit einem Diamanten herausgeschnittene Fensterscheibe und die Whiskyflasche ... Diese drei Einzelheiten glichen den Fehlern, die ein Schüler dem Werk eines hervorragenden Fachmanns hinzugefügt hatte ... Sagen wir, Saft sei dieser Fachmann und Sie die Schülerin … Sie müssen wissen, dass Anfänger immer dazu neigen, das Werk der Lehrmeister zu korrigieren …«

Er hätte alles für ein frisch gezapftes Bier gegeben und sogar für den Whisky, dessen leere Flasche er vor sich hatte, aber er durfte seinen Elan jetzt nicht bremsen. Er begnügte sich damit, seine Pfeife anzuzünden, die ein paar Sekunden später wieder ausging.

»Die Handschuhe, die waren kindisch, das ist Fehler Nummer eins. Den ganzen Tag über, und sogar zu den Mahlzeiten, trägt man Handschuhe nur, um lädierte Hände zu verstecken, und in dem Fall war es schwer, nicht an Säureverätzungen zu denken … Die Flasche, die ist mir erst heute Abend eingefallen … Ich erinnerte mich plötzlich daran, dass ein Morphium- oder Kokainsüchtiger nie zugleich Alkoholiker ist, und da hat mich diese Whiskyflasche stutzig gemacht … Ich habe mich danach erkundigt, ob Sie getrunken hätten … Man hat mir gesagt, dass dem nicht so war … Ich habe mich vergewissert, dass die Flasche nicht aus dem Hotel stammte …«

»Wo ist sie jetzt?«, fragte die junge Frau, die zwar bleich war, aber die Hoffnung nicht aufgegeben hatte, und die Maigret mit kritischem Verstand lauschte.

»Sie muss noch an ihrem Platz im Zimmer stehen, wo niemand auf den Gedanken gekommen ist, an ihr zu riechen ... Was die herausgeschnittene Scheibe betrifft ... Ich bin sicher, Mademoiselle Germaine, dass Ihr Freund Saft oder Smith nicht stolz auf Sie ist ... Ich wette, dass Ihnen das erst danach eingefallen ist ... Ein befreundeter Maler hat mir oft erzählt, dass er, wenn er ein Bild erst einmal vollendet hat, der Versuchung widersteht, es noch ein letztes Mal zu überarbeiten, weil dieses Überarbeiten für gewöhnlich nur das ganze Werk zerstört ... Also, denken Sie mal nach ...«

Er nahm einen Stuhl, setzte sich rittlings darauf, und ohne es eigentlich zu wollen, gab er sich gutmütig und arglos wie bei einem Gespräch unter Leuten vom selben Fach.

»Können Sie sich etwa vorstellen, wie einer von Ihnen, Sie oder irgendein Monsieur Owen, einen Fremden, der durchs Fenster eingestiegen ist, bittet, sich auszuziehen und sich eine kleine Morphiumspritze geben zu lassen und, um den Spaß lustig zu Ende zu bringen, ihn dann noch dazu einlädt, in Monsieur Owens Wanne ein Bad zu nehmen?

Wäre wenigstens die Scheibe nicht herausgeschnitten worden! ... Vielleicht wären dann andere Ungereimtheiten nicht aufgefallen ... Aber Sie haben eine zu durchsichtige Spur nach draußen legen wollen … Ganz so wie mit diesem Brief, den Sie angeblich in Nizza eigenhändig übergeben sollten …«

Es verblüffte ihn, dass er sie in dem Augenblick, in dem er es am wenigsten erwartet hätte, sagen hörte:

»Wie viel?«

»Nicht doch, Herzchen! Das war vorhin ein taugliches Mittel, um Sie aus der Reserve zu locken. Haben Sie es denn noch nicht begriffen?«

»Zwanzigtausend …«

»Zwanzigtausend Pfund?«

»Zwanzigtausend Franc … Vierzig- … Fünfzigtausend? …«

Er zuckte die Schultern und klopfte seine Pfeife über dem Teppich aus, was er, seit er im ›Excelsior‹ wohnte, zum ersten Mal tat.

»Aber nein! Tja! Sie werden mir jetzt sagen, ob meine kleine Geschichte stimmt … Ihr kranker und süchtiger Student, Jean, da Sie ihn nun einmal so nennen, ist Ihr Liebhaber geworden … Sie haben Monsieur Saft kennengelernt, der Ihnen zu verstehen gegeben hat, welcher Nutzen aus ihm zu ziehen wäre … Dann, anstatt alles so zu machen, wie es gemacht werden sollte, anstatt Ihren Studenten in irgendeiner verschwiegenen möblierten Wohnung in Paris zu verstecken, haben Sie sich diesen ganzen Monsieur Owen ausgedacht, diese gefälschte Identität eines Schweden, die Perücke, die graue Kleidung, das geschminkte Gesicht und, zu guter Letzt, um seine säurezerfressenen Hände zu verbergen, die entsetzlichen Zwirnhandschuhe … Wissen Sie, meine Liebe, all das riecht nach Dilettantismus … Und ich bin überzeugt, dass Saft Ihnen das mehr als einmal gesagt hat …

Aber Sie waren ihm nützlich, vor allem Jean Owen, der ihm seine Schecks oder Wechsel abgelaugt und wahrscheinlich auch Unterschriften geschickt gefälscht hat …

Ich würde hundert zu eins wetten, dass Sie die Geliebte von Saft geworden sind und dass Ihr anderer Liebhaber dahintergekommen ist … Ich würde auch darauf wetten, dass er Ihnen gedroht hat, falls Sie ihn abermals betrügen, der Polizei alles zu enthüllen …

Und da haben Sie beschlossen, ihn umzubringen … Saft, gerissen, wie er ist, hat sich als Erster abgesetzt und das Feld Ihnen überlassen, dann ist er in Lyon aus dem Flugzeug nach London gestiegen und hat das nach Genf genommen …

Sie haben sich eine Inszenierung ausgedacht … Sie haben sich gesagt, je mysteriöser das Verbrechen sein würde, desto geringer wären die Chancen, Sie zu entlarven …

Zunächst galt es, Ihren Liebhaber nicht in Owens Gestalt zu töten, sondern in seiner wahren Gestalt …

Allerdings war dieses Bad um sechs Uhr früh noch ein Fehler! Denn wer nimmt morgens um sechs ein Bad? Jemand, der früh aufsteht, oder jemand, der spät schlafen geht.

Monsieur Owen ließ sich aber morgens erst spät blicken und ging abends angeblich früh zu Bett.

›Was mochte er bloß bis sechs Uhr früh in seinem Zimmer gemacht haben?‹, habe ich mich gefragt.«

Man hätte meinen können, sie habe sich in ihr Schicksal gefügt. Sie rührte sich nicht mehr. Ihr Blick hing unverwandt an Maigrets Augen.

»Denn, was auch immer Sie sich gedacht haben mögen, man zieht jemanden nicht so einfach aus und trägt ihn in die Badewanne, wenn er nicht will … Letzte Nacht hat Owen wie gewöhnlich gearbeitet … Wenn ich mich nicht sehr irre, dann haben Sie, um sich die Sache zu erleichtern, die Morphiumdosis erhöht … Als er in der Badewanne lag, war es leicht für Sie … Das überspringe ich besser, nicht wahr? Ein widerlicher Augenblick! …

Danach haben Sie Ihrem Werk den letzten Schliff gegeben. Und noch weit mehr! Das laute Gespräch um neun Uhr morgens! Die Fensterscheibe! Der Brief nach Nizza! Und die Perücke, die Handschuhe, die Schminkutensilien, die Sie mitgenommen haben, um ein Verbrechen eines Monsieur Owen vorzutäuschen, den es gar nicht gab … Sie haben verloren, meine Liebe!«

Er zuckte zusammen, selbst erstaunt über diese zuletzt gesprochenen Worte, über ihren Klang, denn nach Jahren war er auf einmal unwillkürlich wieder in den Ton des »Hauses« verfallen, das heißt in den Ton, der am Quai des Orfèvres herrschte.

Das war so offenkundig, dass sie, anstatt zu protestieren, in einer instinktiven Bewegung die Arme den Handschellen entgegenstreckte und murmelte:

»Nehmen Sie mich fest?«

»Ich? Keineswegs …«

»Was dann?«

»Nichts …«

Er war vom trivialen Ende dieser stürmischen Unterredung beinahe ebenso verwirrt wie sie.

»Dennoch …«, begann Germaine.

»Dennoch was? Sie wollen doch nicht, dass ich Sie festnehme, obwohl ich nicht mehr bei der Polizei bin?«

»Aber, in diesem Fall …«

»Nein! Glauben Sie nicht, dass Sie sich aus dem Staub machen können … Ein Inspektor hält sich in der vierten Etage auf und ein anderer unten …«

»Erlauben Sie mir, in mein Appartement zurückzugehen?«

»Was wollen Sie tun?«

Mit Tragik in der Stimme und ohne seinem Blick auszuweichen, fragte sie zurück:

»Können Sie sich das nicht denken?«

»Gehen Sie!«, sagte er seufzend.

Wenn schon! Es war besser, wenn die Sache so endete! Trotzdem legte er sich nicht schlafen, sondern ging bald danach in den Flur hinaus, um zu horchen, vernahm undeutliche Geräusche und erfuhr etwas später, dass die junge Frau die Siegel an der Verbindungstür zum Zimmer 412 aufgebrochen hatte. Als er dort eintraf, war die Whiskyflasche verschwunden. Ein Inspektor hatte Germaine Devon die Handschellen angelegt. Der Nachtportier war auch da.

»Das war es, was Sie tun wollten?«, stellte Maigret angewidert fest.

Sie lächelte nur.

Und in diesem Augenblick ahnte er noch nicht, was ihm dieses Lächeln bescheren würde, denn die Voruntersuchung dauerte sechs Monate, und während dieser sechs Monate wurde Maigret zwanzigmal als Zeuge geladen und einer Frau gegenübergestellt, die alles bestritt, einschließlich der Beweise.

Sie leugnete auch noch bei der Hauptverhandlung vorm Schwurgericht, zu der der ehemalige Kommissar erscheinen musste und bei der es ihrem Verteidiger um ein Haar gelungen wäre, ihn in eine lächerliche Rolle zu drängen.

»Manche Menschen«, sagte er, »können sich mit dem endgültigen Ruhestand nicht abfinden, auch wenn die dazu berufenen Behörden entschieden haben, dass die Zeit reif ist …«

Es fehlte nicht viel, und sie wäre freigesprochen worden. Letzten Endes wurden noch bestehende Zweifel zu ihren Gunsten berücksichtigt, und sie kam mit fünf Jahren davon, während Maigret, in einem Bistro neben dem Palais de Justice, die Einladung von Monsieur Louis, für ein paar Tage nach Cannes zu kommen, ablehnte.

Was Tante Émilie betrifft, nun, sie ist damals nicht gestorben!

F. Scott Fitzgerald

Liebe in der Nacht

I

Die Worte erregten Val. Sie waren ihm irgendwann während des frischen, goldenen Ap-
rilnachmittags in den Sinn gekommen, und in Gedanken wiederholte er sie immer wieder: »Liebe in
der Nacht; Liebe in der Nacht.« Er probierte sie in
drei Sprachen aus – Russisch, Englisch und Französisch – und entschied sich für Englisch. In jeder
Sprache bedeuteten die Worte eine andere Art von
Liebe und eine andere Art von Nacht, und die englische Nacht kam ihm am wärmsten und weichsten
vor, mit dem dünnsten und kristallensten Sternen-
schimmer. Die englische Liebe kam ihm am zer-
brechlichsten und romantischsten vor – ein weißes
Kleid und darüber ein verwischtes Gesicht mit
Augen wie Brunnen aus Licht. Und wenn ich hin-
zufüge, dass die Nacht, die ihm solche Gedanken
eingab, schließlich und endlich eine französische
Nacht war, wird mir klar, dass ich weiter ausholen
und mit dem Anfang beginnen muss.

Val war halb Russe und halb Amerikaner. Seine Mutter war die Tochter jenes Morris Hasylton, der 1892 die Weltausstellung in Chicago mitfinanziert hatte, und sein Vater war – sehen Sie ruhig im Gotha von 1910 nach – Fürst Paul Sergej Boris Rostow, Sohn des Fürsten Vladimir Rostow, Enkel eines Großherzogs – genannt Sergej mit dem kantigen Kinn – und Cousin des Zaren um drei Ecken. Man sieht, auf dieser Seite war alles ziemlich eindrucksvoll, Stadtpalais in Sankt Petersburg, Jagdhütte in der Nähe von Riga und eine dicke, fette Villa, fast schon ein Palast, mit Blick auf das Mittelmeer. In dieser Villa in Cannes verbrachten die Rostows den Winter, und Fürstin Rostow hätte es nicht besonders amüsant gefunden, daran erinnert zu werden, dass diese Villa an der Riviera, vom Marmorspringbrunnen – nach Bernini – bis zu den vergoldeten Likörgläsern – nach dem Abendessen – mit amerikanischem Geld gekauft worden war.

Die Russen waren in der ausgelassenen Zeit vor dem Krieg besonders fröhlich. Von den drei Völkern, denen Südfrankreich als Lustgarten diente, waren sie dasjenige, dessen hochherrschaftliches Auftreten am natürlichsten wirkte. Die Engländer waren zu pragmatisch, die Amerikaner waren zwar freigebig, besaßen aber keine romantische Tradition. Die Russen hingegen – ein Volk, das sich so ritterlich benahm wie die Südländer und außerdem noch reich war! Wenn die Rostows gegen Ende Januar in Cannes eintrafen, bestellten die Restaurants telegrafisch in nördlicheren Regionen die Lieblingsetiketten des Fürsten, um sie auf ihre Champagnerflaschen zu kleben, und die Juweliere legten unvorstellbar prachtvolle Schmuckstücke beiseite, um sie ihm zu zeigen (aber nicht der Fürstin), und die russisch-orthodoxe Kirche wurde für die Feiertage gekehrt und geschmückt, damit der Fürst orthodoxe Vergebung für seine Sünden erbitten konnte. Sogar das Mittelmeer war so entgegenkommend, an den Frühlingsabenden die Farbe dunklen Weins anzunehmen, und Fischerboote mit rotkehlchenfarbenen Segeln schaukelten entzückend vor dem Ufer.

Undeutlich war Val bewusst, dass all das für ihn und seine Familie geschah. Die kleine weiße Stadt am Wasser, in der er die Freiheit hatte zu tun, was ihm gefiel, weil er reich und jung war und das Blut Peters des Großen indigoblau in seinen Adern rann, war das Paradies der Privilegierten. Im Jahr 1914, in dem diese Geschichte beginnt, war er erst siebzehn Jahre alt, doch er hatte bereits ein Duell mit einem vier Jahre älteren jungen Mann ausgetragen und besaß als Beweis eine kleine haarlose Narbe oben auf seinem schönen Kopf.

Doch Liebe in der Nacht war das, was ihm am Herzen lag. Es war ein schemenhafter schöner Traum, etwas, was ihm eines Tages widerfahren würde, einzigartig und unvergleichlich. Er hätte nicht mehr darüber sagen können, als dass ein bezauberndes, unbekanntes Mädchen darin vorkam und dass sich alles unter dem Mond der Riviera abzuspielen hatte.

Das Merkwürdige an dem Ganzen war nicht, dass er in der erregten und zugleich beinahe spirituellen Hoffnung auf eine Romanze lebte, denn solche Hoffnungen unterhalten alle Knaben, die nur eine Spur Fantasie besitzen, sondern dass sie ihm tatsächlich widerfuhr. Und als es geschah, war es so unerwartet, so ein Gewirr aus Eindrücken und Gefühlen und eigenartigen Wendungen, die ihm auf die Lippen gerieten, aus Anblicken und Tönen und Augenblicken, die sich ereigneten und im nächsten Moment vorbei waren, vergangen waren, dass er kaum begriff, wie ihm geschah. Vielleicht war es gerade das Unfassbare, das die Begebenheit in sein Herz einprägte, so dass er sie nie vergessen konnte.

In jenem Frühling sprach alles um ihn herum von Liebe; da waren die zahlreichen und indiskreten Liebschaften seines Vaters, die Val partiell zu Ohren kamen, wenn er zufällig das Gerede der

Dienstboten hörte, und definitiv, als er eines Nachmittags seine amerikanische Mutter dabei überraschte, dass sie dem Porträt seines Vaters an der Wand des Salons eine hysterische Szene machte. Auf dem Porträt trug sein Vater eine weiße Uniform mit einem pelzbesetzten Dolman und erwiderte den Blick seiner Frau unbeeindruckt, als wollte er sagen: »Meine Liebe, hattest du dir etwa eingebildet, in eine Familie von Betbrüdern eingeheiratet zu haben?«

Val entfernte sich auf Zehenspitzen, überrascht, verwirrt – und erregt. Es hatte ihn nicht schockiert, wie es einen amerikanischen Jungen seines Alters schockiert hätte. Seit Jahren wusste er, wie das Leben der Reichen in Europa beschaffen war, und seinem Vater warf er nur vor, dass er seine Mutter zum Weinen gebracht hatte.

Um ihn herum war alles Liebe, vorwurfslose Liebe genauso wie verbotene Liebe. Als er um neun Uhr die Seepromenade entlangspazierte und die Sterne so hell strahlten, dass sie mit den hellen Lampen wetteiferten, spürte er die Liebe ringsum. Von den Caféterrassen mit den fröhlichen Kleidern frisch aus Paris drang der würzige Geruch von Blumen, Chartreuse, frischem schwarzem Kaffee und Zigaretten, und damit vermischt nahm er einen anderen Duft wahr, den rätselhaften

Duft der Liebe. Hände berührten juwelenblitzende Hände auf weißen Tischen. Fröhliche Kleider und weiße Hemdbrüste wogten, und Streichhölzer wurden ein wenig zittrig an langsam Feuer fangende Zigaretten gehalten. Jenseits des Boulevards schlenderten unter den schattigen Bäumen weniger vornehme Liebende, junge Franzosen, die in den Läden von Cannes arbeiteten, mit ihren Bräuten, doch in diese Richtung blickten Vals junge Augen seltener. Der Luxus der Musik, der bunten Farben und leisen Stimmen, all das gehörte zu seinem Traum. All das war der unerlässliche Dekor der Liebe in der Nacht.

Doch Val begann sich allmählich unglücklich zu fühlen, auch wenn er sich größte Mühe gab, das großspurige Gehabe zur Schau zu stellen, das von einem jungen russischen Adeligen erwartet wurde, der allein unterwegs war. Die Aprildämmerung hatte die Märzdämmerung abgelöst, die Saison war fast vorbei, und er hatte bisher keine Verwendung für die warmen Frühlingsabende gefunden. Die Sechzehn- und Siebzehnjährigen aus seinem Bekanntenkreis wurden von der Dämmerung bis zum Schlafengehen streng beaufsichtigt – vergessen wir nicht, es war die Zeit vor dem Krieg –, und die anderen Mädchen, die ihn gerne begleitet hätten, sprachen seiner romantischen Sehnsucht Hohn. So verging der April – eine Woche, zwei Wochen, drei Wochen ...

Er hatte bis um sieben Uhr Tennis gespielt und eine weitere Stunde auf dem Tennisplatz vertrödelt, und es war halb neun geworden, als ein müder Droschkengaul den Hügel meisterte, auf dem die Fassade der Rostow-Villa leuchtete. In der Auffahrt funkelten die gelben Scheinwerfer der Limousine seiner Mutter; die Fürstin trat aus der hell erleuchteten Haustür und knöpfte ihre Handschuhe zu. Val warf dem Droschkenkutscher zwei Franc zu und ging zu seiner Mutter, um sie auf die Wange zu küssen.

»Berühr mich nicht«, sagte sie abwehrend. »Du hast Geld angefasst.«

»Aber nicht mit dem Mund, Mutter«, wandte er scherzhaft ein.

Die Fürstin sah ihn ungehalten an.

»Ich bin verärgert«, sagte sie. »Warum musst du dich ausgerechnet heute so verspäten? Wir sind zum Abendessen auf eine Yacht eingeladen, und die Einladung galt auch für dich.«

»Was für eine Yacht?«

»Amerikaner.« Ihre Stimme klang immer leicht ironisch, wenn sie ihr Herkunftsland erwähnte. Ihr Amerika war das Chicago der neunziger Jahre, und in ihrer Vorstellung war es noch immer eine riesige Wohnung über einem Metzgerladen. Selbst die Verfehlungen Fürst Pauls waren kein zu hoher Preis für ihr Entkommen.

»Zwei Yachten«, fuhr sie fort, »und wir wissen nicht, welche die richtige ist. Die Einladung war sehr ungenau. Ausgesprochen schlechte Manieren.«

Amerikaner. Vals Mutter hatte ihrem Sohn beigebracht, Amerikaner mit Geringschätzung zu betrachten, aber es war ihr nicht gelungen, ihn davon zu überzeugen. Amerikanische Männer behandelten einen nicht wie Luft, auch wenn man erst siebzehn war. Val mochte Amerikaner. Er fühlte sich zwar durchaus als Russe, aber nicht lupenrein; das genaue Mengenverhältnis betrug wie das einer berühmten Seife neunundneunzig drei viertel Prozent.

»Ich komme mit«, sagte er. »Ich beeile mich, Mutter. Ich –«

»Wir sind jetzt schon zu spät dran.« Die Fürstin drehte sich um, als ihr Ehemann in der Tür erschien. »Jetzt sagt Val doch tatsächlich, dass er mitkommen will.«

»Das kommt nicht in Frage«, sagte Fürst Paul schroff. »Er hat sich scheußlich betragen.«

Val nickte. Russische Aristokraten erzogen ihre Kinder ausnahmslos mit bewundernswerter

Strenge, auch wenn sie selbst gern über die Stränge schlugen. Widerspruch wurde nicht geduldet.

»Es tut mir leid«, sagte Val.

Fürst Paul begnügte sich mit einem Schnauben. Der Lakai in rot-silberner Livree öffnete die Wagentür. Doch das Schnauben entschied die Sache, denn Fürstin Rostow hegte zufällig einen nicht grundlosen Groll gegen ihren Mann, und das verschaffte ihr die Oberhand.

»Wenn ich es recht überlege, kommst du doch besser mit, Val«, verkündete sie ungerührt. »Nicht zum Essen, dafür ist es zu spät, aber danach. Die Yacht ist entweder die *Minnehaha* oder die *Privateer*.« Sie stieg in die Limousine. »Die, auf die wir eingeladen sind, ist wahrscheinlich die, auf der mehr los ist, die Yacht der Jacksons –«

»Nur Grips«, brummte der Fürst rätselhaft, womit er ausdrücken wollte, dass Val die Yacht finden würde, wenn er nur die geringste Spur Grips besaß. »Zeig dich meinem Diener, bevor du gehst. Nimm eine von meinen Krawatten und nicht den scheußlichen Bindfaden, auf den du dich in Wien kapriziert hast. Werd erwachsen. Höchste Zeit.«

Die Limousine entfernte sich knirschend aus der gekiesten Einfahrt, und Val blieb mit vor Scham brennendem Gesicht zurück.

II

Im Hafen von Cannes war es dunkel, besser gesagt: Es wirkte dunkel nach der Helligkeit der Promenade, die Val gerade verlassen hatte. Im trüben Lichtschein dreier schwacher Hafenlaternen lagen zahllose Fischerboote wie leere Muschelschalen am Strand. Weiter draußen, wo eine Flotte schlanker Yachten bedächtig und würdevoll auf dem Meer schaukelte, waren Lichter zu sehen, und noch weiter draußen rundete der Vollmond das Wasser zu einem blankgewienerten Tanzparkett. Hin und wieder ertönte ein Klatschen, Knarren und Glucksen, wenn ein Ruderboot sich im seichten Wasser bewegte und sein schattenhafter Umriss sich durch das Labyrinth eng gedrängter Fischerkähne und Barkassen schlängelte. Val stieg das samtige Sandufer hinunter, stolperte über einen schlafenden Schiffer und atmete den ranzigen Geruch von Knoblauch und billigem Wein ein. Er schüttelte den Mann an den Schultern, bis dieser ihn erschrocken ansah.

»Wissen Sie, wo die *Minnehaha* und die *Privateer* ankern?«

Als sie in die Bucht hinausglitten, lehnte er sich im Bootsheck zurück und blickte mit leisem Missbehagen zu dem Mond über der Riviera hinauf. Es war der richtige Mond, keine Frage. Oft genug, in fünf von sieben Nächten, war es der richtige Mond. Und da waren die warme Luft mit ihrem beinahe schmerzlichen Zauber und die Musik, viele Melodien, von vielen Kapellen gespielt, die vom Ufer herüberklang. Im Osten lag das dunkle Kap von Antibes und dahinter Nizza und dahinter Monte Carlo, wo Klang und Klirren von Geld die Nacht erfüllte. Eines Tages würde auch er all das erleben, alle Freuden und alles Glück – dann, wenn er zu alt und vernünftig wäre, um Wert darauf zu legen.

Doch diese Nacht, diese Nacht, dieser Silberstrom, der wie eine breite Strähne lockigen Haars zum Mond hinaufwehte, diese warmen, romantischen Lichter von Cannes hinter ihm und die unwiderstehliche und unbeschreibliche Liebe in dieser Luft – blieben für immer vergeudet.

»Welches?«, fragte der Schiffer unerwartet.

»Welches was?«, fragte Val, der sich aufrichtete.

»Welches Schiff?«

Er zeigte hin. Val drehte sich um; über ihnen erhob sich der graue, wie ein Schwert vorspringende Bug einer Yacht. Während der anhaltenden Sehnsucht seines Verlangens hatten sie eine halbe Meile zurückgelegt.

Er las die Messingbuchstaben über seinem Kopf. *Privateer* stand da, doch das Licht an Bord war gedämpft, und keine Musik war zu hören, kein Stimmengewirr, sondern nur das murmelnde Plätschern der Wellen, die das Schiff berührten.

»Das andere«, sagte Val. »Die *Minnehaha*.«

»Warten Sie.«

Val schrak zusammen. Die Stimme war leise und sanft aus der Dunkelheit über ihm gekommen.

»Warum so eilig?«, sagte die sanfte Stimme. »Ich dachte, es wäre vielleicht jemand zu Besuch gekommen, und jetzt bin ich schrecklich enttäuscht.«

Der Schiffer hob die Ruder aus dem Wasser und sah Val unsicher an. Val aber schwieg, und der Schiffer senkte die Ruderblätter ins Wasser und führte das Boot in das Mondlicht hinaus.

»Augenblick!«, rief Val laut.

»Ade«, sagte die Stimme. »Kommen Sie wieder, wenn Sie bleiben können.«

»Aber ich bleibe jetzt«, sagte er aufgeregt.

Er gab die entsprechende Anweisung, und das Ruderboot wendete zum Fuß des kleinen Fallreeps zurück. Jemand, der jung war, jemand in einem wolkigen weißen Kleid, jemand mit einer bezaubernden leisen Stimme hatte ihn tatsächlich aus der samtenen Dunkelheit angerufen. »Wenn sie Augen hat!«, murmelte Val im Selbstgespräch. Der romantische Klang seiner Worte gefiel ihm, und er wiederholte flüsternd: »Wenn sie Augen hat.«

»Wer sind Sie?« Sie stand unmittelbar über ihm; sie blickte herunter, und er blickte hinauf, als er die Leiter hochkletterte, und als ihre Blicke sich begegneten, mussten beide lachen.

Sie war sehr jung, zierlich, fast zerbrechlich, in einem Kleid, dessen fahle Schlichtheit ihre Jugend betonte. Zwei flache dunkle Flecken auf ihren Wangen zeigten an, wo sich tagsüber die Farbe befand.

»Wer sind Sie?«, fragte sie wieder, trat einen Schritt zurück und lachte erneut, als sein Kopf über der Reling auftauchte. »Jetzt fürchte ich mich und will Auskunft.«

»Ich bin ein Gentleman«, sagte Val und verneigte sich.

»Was für ein Gentleman? Es gibt alle möglichen Arten. In Paris gab es einen – einen farbigen Gentleman am Nebentisch, und deshalb –« Sie verstummte. »Sie sind kein Amerikaner, oder?«

»Ich bin Russe«, sagte er in einem Ton, als wäre er ein Erzengel. Er dachte kurz nach und sagte: »Und ich bin der glücklichste aller Russen. Den ganzen Tag, das ganze Frühjahr habe ich davon geträumt, mich in einer solchen Nacht zu verlieben, und jetzt hat mir der Himmel Sie geschickt.«

»Einen Augenblick, bitte!«, sagte sie und holte schnell Luft. »Jetzt weiß ich mit Sicherheit, dass

Ihr Besuch hier ein Irrtum ist. Für so etwas bin ich nicht zu haben. Bitte!«

»Verzeihen Sie.« Er sah sie verwirrt an; ihm war nicht klar, dass er sich zu weit vorgewagt hatte. Dann nahm er Haltung an.

»Ich habe mich geirrt. Wenn Sie mich bitte entschuldigen wollen, verabschiede ich mich jetzt.«

Er wendete sich ab. Seine Hand lag auf der Reling.

»Gehen Sie nicht«, sagte sie und strich sich eine Haarsträhne von undefinierbarer Farbe aus den Augen. »Ich habe es mir überlegt; Sie können so viel Unsinn reden, wie Sie wollen, wenn Sie nur bleiben. Ich bin todunglücklich, und ich will nicht allein sein.«

Val zögerte; irgendetwas entzog sich seinem Verständnis. Er hatte angenommen, dass ein Mädchen, das nachts einen Fremden anspricht, sogar vom Deck einer Yacht aus, eine Romanze im Sinn haben müsse. Und er wollte unbedingt bleiben. Dann fiel ihm ein, dass dieses Schiff eine der zwei Yachten war, nach denen er gesucht hatte.

»Ich nehme an, dass das Essen auf dem anderen Schiff stattfindet«, sagte er.

»Das Essen? Ach ja, das ist auf der *Minnehaha*. Waren Sie auf dem Weg dorthin?«

»Das war ich – vor langer Zeit.«

»Wie heißen Sie?«

Er war im Begriff, es zu sagen, als ihn etwas veranlasste, stattdessen eine Frage zu stellen.

»Und Sie? Warum sind Sie nicht auf der Party?«

»Weil ich lieber hierbleiben wollte. Mrs. Jackson hat gesagt, dass Russen kommen würden – vermutlich Sie.« Sie sah ihn aufmerksam an. »Sie sind jung, oder?«

»Ich bin wesentlich älter, als ich aussehe«, sagte Val steif. »Das fällt allen auf. Jeder wundert sich darüber.«

»Wie alt sind Sie?«

»Einundzwanzig«, log er.

Sie lachte.

»So ein Unsinn! Sie sind höchstens neunzehn.«

Er war so sichtlich verärgert, dass sie sich beeilte, ihn zu besänftigen. »Nur Mut! Ich bin selbst erst siebzehn. Ich hätte die Party besucht, wenn ich gewusst hätte, dass Gäste unter fünfzig dort sein würden.«

Den Themenwechsel nahm er freudig auf.

»Und Sie wollten lieber hier sitzen und im Mondlicht träumen.«

»Ich habe über Irrtümer nachgedacht.« Sie setzten sich in zwei benachbarte Liegestühle. »Ein ausgesprochen fesselndes Thema: Irrtümer. Frauen grübeln fast nie über Irrtümer – sie sind viel eher bereit zu vergessen als Männer. Aber wenn sie es tun –«

»Sie haben einen Irrtum begangen?«, fragte Val. Sie nickte.

»Etwas, was man nicht rückgängig machen kann?«

»Ich fürchte, ja«, antwortete sie. »Ich weiß es nicht. Darüber dachte ich nach, als Sie herkamen.«

»Vielleicht kann ich irgendwie nützlich sein«, sagte Val. »Vielleicht lässt sich Ihr Irrtum doch noch rückgängig machen.«

»Das können Sie nicht«, sagte sie traurig. »Denken wir nicht mehr daran. Ich bin meinen Irrtum schrecklich leid und fände es viel schöner, von Ihnen zu hören, was für fröhliche und heitere Dinge heute Abend in Cannes vor sich gehen.«

Sie blickten uferwärts zu der geheimnisvollen und verlockenden Lichterkette, zu den großen Spielzeugkisten, in denen Kerzen leuchteten und die in Wirklichkeit elegante Grandhotels waren, zu der beleuchteten Uhr in der Altstadt, zu dem verschwommenen Widerschein des ›Café de Paris‹ und zu den ausgestanzten Punkten der Villenfenster, die sich auf den sacht ansteigenden Bergen zum Himmel reckten.

»Was tun die Leute dort?«, fragte sie flüsternd.

»Es sieht aus, als wäre es etwas Herrliches, aber was es ist, kann ich nicht erkennen.«

»Sie sind alle verliebt«, sagte Val ruhig.

»Wirklich?« Mit einem eigenartigen Ausdruck in ihren Augen sah sie lange hin. »Dann will ich lieber nach Amerika zurückfahren«, sagte sie. »Hier ist mir zu viel Liebe. Am liebsten führe ich schon morgen.«

»Fürchten Sie sich denn davor, sich zu verlieben?«

Sie schüttelte den Kopf.

»Das ist es nicht. Es ist nur, dass – für mich gibt es hier keine Liebe.«

»Für mich auch nicht«, fügte Val ruhig hinzu. »Wie traurig, dass wir beide in einer so schönen Nacht an einem so schönen Ort sind und nichts davon haben.«

Er neigte sich eindringlich zu ihr, mit einem Blick voll inniger und keuscher Romantik – und sie wich zurück.

»Erzählen Sie mir von sich«, sagte sie schnell. »Wenn Sie Russe sind, wo haben Sie dann so hervorragendes Englisch gelernt?«

»Meine Mutter ist Amerikanerin«, räumte er ein. »Mein Großvater auch, so dass sie keine andere Wahl hatte.«

»Dann sind Sie auch Amerikaner!«

»Ich bin Russe«, sagte Val würdevoll.

Sie sah ihn aufmerksam an, lächelte und gab nach. »Nun gut«, sagte sie diplomatisch, »dann haben Sie sicher einen russischen Namen.«

Er wollte ihr seinen Namen jedoch nicht jetzt sagen. Ein Name, selbst der Name Rostow, wäre eine Entweihung dieser Nacht gewesen. Sie waren ihre leisen Stimmen, ihre zwei bleichen Gesichter, und das war genug. Ohne zu wissen, warum, aber mit einem Instinkt, der triumphierend in seinem Geist vibrierte, war er überzeugt, dass er binnen kurzem, in einer Minute oder Stunde, in die romantische Liebe eingeweiht werden würde. Sein Name war bedeutungslos neben dem, was sich in seinem Herzen regte.

»Sie sind wunderschön«, sagte er plötzlich.

»Wie wollen Sie das wissen?«

»Weil das Mondlicht das gefährlichste Licht für eine Frau ist.«

»Sehe ich im Mondlicht nett aus?«

»Sie sind das Bezauberndste, was mir je vor Augen gekommen ist.«

»Oh.« Sie dachte darüber nach. »Ich hätte Sie natürlich nie an Bord kommen lassen dürfen. Ich hätte wissen müssen, dass es zu diesem Thema kommen würde – in diesem Mondlicht. Aber ich kann mich nicht damit abfinden, hier zu sitzen und zum Ufer zu sehen, Tag für Tag. Dafür bin ich zu jung. Finden Sie nicht auch, dass ich dafür zu jung bin?«

»Viel zu jung«, pflichtete er ihr in tiefem Ernst bei.

Unversehens wurden sie auf eine neue Musik aufmerksam, die aus nächster Nähe erklang, als stiege sie keine hundert Meter entfernt aus dem Wasser auf.

»Hören Sie nur!«, rief sie. »Das kommt von der *Minnehaha*. Das Essen ist vorbei.«

Einen Augenblick lang lauschten sie schweigend.

»Danke«, sagte Val plötzlich.

»Wofür?«

Er hatte fast nicht gemerkt, dass er etwas gesagt hatte. Er dankte den tiefen und leisen Blasinstrumenten für ihren Gesang in der Brise, dem Meer für seine warmen, geflüsterten Klagelaute, die den Bug berührten, dem milchigen Sternenlicht dafür, dass es sich über sie ergoss, bis er sich von einer Substanz getragen fühlte, die dichter war als Luft.

»So bezaubernd«, flüsterte sie.

»Was wollen wir damit anfangen?«

»Müssen wir etwas damit anfangen? Ich dachte, wir könnten einfach dasitzen und ...«

»Das dachten Sie nicht«, fiel er ihr unaufgeregt

ins Wort. »Sie wissen, dass wir etwas damit anfangen müssen. Ich werde Ihnen den Hof machen – und Sie werden sich darüber freuen.«

»Das kann ich nicht«, sagte sie sehr leise. Sie hätte gern gelacht, irgendeine leichtfertige, knappe Bemerkung gemacht, die das Ganze in das sichere Fahrwasser einer harmlosen Liebelei zurückbugsiert hätte. Doch dafür war es zu spät. Val wusste, dass die Musik vollendet hatte, was der Mond begonnen hatte.

»Ich will Ihnen die Wahrheit sagen«, sagte er. »Sie sind meine erste Liebe. Ich bin siebzehn, genauso alt wie Sie und nicht mehr.«

Dass sie gleichaltrig waren, hatte etwas ganz und gar Entwaffnendes. Es machte sie schwach vor dem Geschick, das sie zusammengebracht hatte. Die Liegestühle quietschten, und er war sich eines schwachen und trügerischen Dufts bewusst, als sie sich plötzlich kindlich aneinanderschmiegten.

III

Ob er sie einmal oder mehrmals geküsst hatte, hätte er später nicht zu sagen gewusst, obwohl sie sicherlich eine Stunde in enger Nähe verbrachten und er ihre Hand hielt. Was ihn am meisten verblüffte, war der Umstand, dass das keimende Liebesglück frei von wilder Leidenschaft war – kein Kummer, kein Begehren, keine Verzweiflung –, sondern eine so berauschende Vorahnung auf ein Glück, wie er es in der Welt und im Leben noch nie gekannt hatte. Die erste Liebe – denn das war nichts als die erste Liebe! Was war dann erst die Liebe in ihrer Gänze, in ihrer Blüte? Er konnte nicht wissen, dass das, was er empfand, dieses unwirkliche, wunschlose Gemisch aus Ekstase und Frieden, nie wieder erreichbar sein würde.

Die Musik war seit einiger Zeit verstummt, als das Geräusch eines Ruderboots, das die Wellen bewegte, die flüsternde Stille unterbrach. Sie sprang auf, und ihre Augen suchten die Bucht ab.

»Hören Sie!«, sagte sie schnell. »Sagen Sie mir Ihren Namen.«

»Nein.«

»Bitte!«, sagte sie flehend. »Ich reise morgen ab.«

Er schwieg.

»Ich will nicht, dass Sie mich vergessen«, sagte sie. »Ich heiße –«

»Ich werde Sie nicht vergessen. Ich verspreche Ihnen, immer an Sie zu denken. Jede Frau, die ich vielleicht einmal lieben werde, werde ich immer an Ihnen messen, an meiner ersten Liebe. Solange ich lebe, werden Sie immer der erste Eindruck in meinem Herzen bleiben.«

»Ich will, dass Sie sich erinnern«, flüsterte sie stammelnd. »Oh, es hat mir mehr bedeutet als Ihnen, viel mehr.«

Sie stand so nahe neben ihm, dass er ihren warmen jungen Atem auf seinem Gesicht spürte. Wieder schmiegten sie sich aneinander. Er drückte ihre Hände und Handgelenke, denn so schien es ihm geboten, und küsste ihren Mund. Es war, wie er dachte, der richtige Kuss – nicht zu viel, nicht zu wenig. Doch der Kuss war wie ein Versprechen weiterer Küsse, die möglich gewesen wären, und ein wenig enttäuscht hörte er, wie das Ruderboot sich der Yacht näherte, und begriff, dass ihre Familie zurückgekommen war. Der Abend war vorbei.

›Aber das ist nur der Anfang‹, sagte er sich. ›Mein ganzes Leben wird so sein wie diese Nacht.‹

Sie sprach leise und schnell, und er hörte ihr aufmerksam zu.

»Eines müssen Sie wissen: Ich bin verheiratet. Seit drei Monaten. Das ist der Irrtum, über den ich nachdachte, als der Mond Sie herbrachte. Gleich werden Sie es verstehen.«

Sie verstummte, als das Boot am Fallreep anlegte und eine Männerstimme aus der Dunkelheit aufstieg.

»Bist du es, meine Liebe?«

»Ja.«

»Was ist das hier für ein Ruderboot?«

»Einer von Mrs. Jacksons Gästen ist aus Versehen hierhergekommen, und ich habe ihn gebeten, für eine Stunde dazubleiben und mir etwas zu erzählen.«

Im nächsten Augenblick zeigten sich über der Reling das dünne weiße Haar und die müden Gesichtszüge eines Sechzigjährigen. Und zu spät erkannte und begriff Val, wie viel es ihm ausmachte.

IV

Als die Saison an der Riviera im Mai endete, schlossen die Rostows und alle anderen Russen ihre Villen und begaben sich in nördlichere Regionen, um dort den Sommer zu verbringen. Die russisch-orthodoxe Kirche wurde zugesperrt, das Gleiche geschah mit den Fässern teurer Weine, und das elegante Frühlingsmondlicht wurde bis zu ihrer Rückkehr weggeräumt.

»Zur nächsten Saison kommen wir wieder«, sagten sie wie gewohnt.

Doch das war voreilig, denn sie sollten nie wiederkommen. Die wenigen, die nach fünf schreck-lichen Jahren den Weg in den Süden wiederfan-den, waren froh, als Zimmermädchen oder *valets de chambre* in den Grandhotels, in denen sie einst diniert hatten, Arbeit zu finden. Viele von ihnen waren im Krieg und in der Revolution umgekom-men, viele dämmerten als Schmarotzer und kleine Gauner in den Metropolen Europas dahin, und nicht wenige beendeten ihr Leben in ratloser Ver-zweiflung.

Als die Kerenskij-Regierung 1917 gestürzt wurde, war Val Leutnant an der Front im Osten und ver-suchte verzweifelt, in seiner Truppe Autorität durchzusetzen, nachdem es längst keine Autorität mehr gab, und er versuchte es immer noch, als Fürst Paul Rostow und seine Frau an einem ver-regneten Vormittag aus dem Leben schieden, um für die Verfehlungen des Hauses Romanow zu sühnen, sodass die beneidenswerte Laufbahn der Tochter Morris Hasyltons in einer Stadt endete, die weit mehr Ähnlichkeit mit einem Metzgerladen hatte als das Chicago des Jahres 1892.

Danach kämpfte Val eine Zeitlang in Deni-kins Armee, bis ihm klar wurde, dass er in einer lächerlichen Farce mitwirkte und dass der Glanz des Russischen Kaiserreichs vergangen war. Dann ging er nach Frankreich und sah sich dort zu seiner

Überraschung mit der verblüffenden Frage konfrontiert, wie er überleben sollte.

Natürlich erwog er, nach Amerika zu gehen. Zwei entfernte Tanten, mit denen seine Mutter sich vor vielen Jahren zerstritten hatte, lebten dort in verhältnismäßigem Wohlstand. Doch diese Vorstellung widersprach den Vorurteilen, die seine Mutter ihm eingeimpft hatte, und außerdem konnte er die Überfahrt nicht bezahlen. Bis eine eventuelle Konterrevolution ihn wieder in den Besitz der Rostow'schen Ländereien in Russland brachte, musste er sich in Frankreich irgendwie über Wasser halten.

Deshalb suchte er die kleine Stadt auf, die er am besten kannte. Er ging nach Cannes. Mit seinen letzten zweihundert Franc kaufte er eine Fahrkarte dritter Klasse, und als er ankam, überließ er seinen Abendanzug einem entgegenkommenden Zeitgenossen, der mit solchen Dingen handelte, und erhielt Geld für Nahrung und Unterkunft. Im Nachhinein bedauerte er, dass er den Abendanzug verkauft hatte, denn der Anzug hätte ihm zu einer Anstellung als Kellner verhelfen können. Stattdessen fand er Arbeit als Taxifahrer, und in dieser Funktion war er genauso glücklich oder elend.

Manchmal fuhr er Amerikaner zu Villenbesichtigungen, und wenn die Trennscheibe geschlossen war, drangen seltsame Gesprächsfetzen aus dem Fond zu ihm.

»… gehört, dass dieser Bursche ein russischer Fürst sein soll.« – »Psst!« – »Nein, der hier.« – »Esther, halt den Mund!« – und dann unterdrücktes Kichern. Wenn der Wagen anhielt, drängelten sich die Passagiere, um den Fahrer zu beäugen. Zuerst hatte es Val schrecklich unglücklich gemacht, wenn Mädchen sich so benahmen, aber nach einer Weile machte es ihm nichts mehr aus. Einmal fragte ihn ein angeheiterter Amerikaner, ob er echt sei, und lud ihn zum Lunch ein, und ein andermal ergriff eine ältere Frau, als sie ausstieg, seine Hand, schüttelte sie heftig und drückte ihm dann einen Hundertfrancschein in die Hand.

»So, Florence, jetzt kann ich zu Hause sagen, dass ich einem russischen Fürsten die Hand geschüttelt habe.«

Der beduselte Amerikaner, der ihn zum Lunch eingeladen hatte, war zuerst der Ansicht gewesen, Val sei ein Zarensohn, und Val hatte ihm erklären müssen, dass ein russischer Fürst nichts weiter war als ein x-beliebiger englischer Lord. Doch er hatte nicht verstehen können, warum jemand wie Val nicht einfach hinging und richtig Geld machte.

»Das ist Europa«, hatte Val ernst erklärt. »Hier macht man nicht einfach Geld. Geld wird entweder vererbt oder langsam über viele Jahre verdient, bis eine Familie nach drei Generationen in eine andere Klasse aufsteigt.«

»Erfinden Sie etwas, worauf die Leute fliegen, so wie wir es machen.«

»Das liegt daran, dass es in Amerika mehr Geld gibt, mit dem man sich einen Wunsch erfüllen kann. Was die Leute sich hier wünschen können, ist schon vor langer Zeit erfunden worden.«

Doch ein Jahr später und mit Hilfe eines jungen Engländers, mit dem er vor dem Krieg Tennis gespielt hatte, fand Val den Weg in die örtliche Niederlassung einer englischen Bank. Er leitete Briefe weiter, besorgte Zugfahrkarten und arrangierte Ausflüge für ungeduldige Touristen. Ab und zu erschien ein vertrautes Gesicht an seinem Schalter; wenn Val erkannt wurde, gab er dem Kunden die Hand, wenn nicht, gab er sich nicht zu erkennen. Nach zwei Jahren wurde er nicht mehr als früherer Fürst oder Prinz herumgezeigt, denn mittlerweile waren die Russen Schnee von gestern, und der Glanz der Rostows und ihrer Freunde war vergessen.

Er ging selten unter Menschen. Abends ging er eine Weile auf der Promenade spazieren, trank in einem Café langsam ein Bier und ging früh zu Bett. Man lud ihn selten ein, weil man seine traurige, angespannte Miene deprimierend fand, doch er sagte sowieso nie zu. Inzwischen trug er billige französische Kleidung statt der teuren Tweed- und Flanellanzüge, die zusammen mit der Garderobe seines Vaters in England bestellt worden waren. Mit Frauen verkehrte er überhaupt nicht. Dabei war er als Siebzehnjähriger mehr als alles andere absolut davon überzeugt gewesen, dass sein Leben ein Leben voll romantischer Liebe sein würde. Acht Jahre später wusste er, dass es darauf keine Hoffnung mehr gab. Er hatte einfach nie Zeit für die Liebe gehabt – Krieg, Revolution und nun seine Armut hatten sich gegen sein erwartungsvolles Herz verschworen. Die Quellen seines Gefühls, die sich zum ersten Mal in einer Aprilnacht ergossen hatten, waren im nächsten Moment versiegt und hatten nur ein dünnes Rinnsal hinterlassen.

Seine glückliche Jugend war beendet gewesen, kaum dass sie begonnen hatte. Er sah sich älter und abgerissener werden und sich immer mehr in die Erinnerungen an seine goldene Kindheit zurückziehen. Am Ende würde man ihn belächeln, wenn er ein altes Erbstück in Form einer Uhr aus der Tasche zog und es amüsierten jungen Mitangestellten zeigte, die sich augenzwinkernd seine Rostow-Anekdoten anhörten.

Diesen trübsinnigen Gedanken hing er eines

Aprilabends 1922 nach, als er am Meer entlangwanderte und den unveränderlichen Zauber der Lichter betrachtete, die nacheinander aufleuchteten. Der Zauber wurde nicht mehr für ihn veranstaltet, doch er fand immer noch statt, und das stimmte ihn auf diffuse Weise froh. Am nächsten Tag würde er in Urlaub fahren, zu einem billigen Hotel weiter unten an der Küste, wo er baden, ausruhen und lesen konnte; dann würde er zurückkommen und weiterarbeiten. Seit drei Jahren hatte er jedes Jahr diesen Urlaub in den letzten zwei Aprilwochen genommen, vielleicht weil dies die Zeit war, zu der er das größte Bedürfnis hatte, sich zu erinnern. Im April hatte das, was sich als das Schönste an seinem Leben erweisen sollte, in romantischem Mondlicht seinen Höhepunkt gefunden. Es war ihm seitdem heilig; was er für eine Initiation gehalten hatte, für einen Anfang, war das Ende gewesen.

Nun blieb er vor dem ›Café des Étrangers‹ stehen; nach einigen Sekunden überquerte er aus einem Impuls heraus die Straße und schlenderte zum Ufer hinunter. Ein Dutzend Yachten in frischer Silberfarbe schaukelten ankernd in der Bucht. Er hatte sie schon am Nachmittag gesehen und hatte nur aus Gewohnheit die am Bug aufgemalten Namen gelesen. Seit drei Jahren tat er das, und inzwischen war es fast ein Reflex.

»*Un beau soir*«, bemerkte eine französische Stimme neben ihm. Es war ein Schiffer, dem Val schon öfter aufgefallen war. »Monsieur findet das Meer schön?«

»Wunderschön.«

»Ich auch. Aber ein schlechter Broterwerb außerhalb der Saison. Nächste Woche allerdings verdiene ich ein Extrageld. Ich werde gut dafür bezahlt, hier nur zu warten und nichts zu tun von acht Uhr morgens bis Mitternacht.«

»Das ist sehr schön«, sagte Val aus Höflichkeit.

»Eine verwitwete Dame, sehr schön, aus Amerika, deren Yacht jeden April die letzten zwei Wochen hier vor Anker geht. Wenn die *Privateer* morgen einläuft, werden es drei Jahre sein.«

V

Val fand die ganze Nacht keinen Schlaf, nicht weil er sich darüber unsicher gewesen wäre, was er tun sollte, sondern weil seine Gefühle aus ihrer lang währenden Betäubung erwacht und lebendig geworden waren. Natürlich kam es für einen armseligen Versager wie ihn, dessen Name ein bloßer Schatten war, nicht in Frage, sie zu sehen, doch es würde ihn ein wenig glücklicher machen zu wissen, dass sie nichts vergessen hatte. Es verlieh seiner eigenen Erinnerung eine neue Dimension, wie eine jener stereoskopischen Brillen, die ein flaches Papierbild räumlich werden lassen. Es überzeugte ihn davon, dass er sich nichts eingebildet hatte – vor langer Zeit hatte er eine bezaubernde Frau bezaubert, und sie hatte es nicht vergessen.

Am nächsten Tag war er eine Stunde vor Abfahrt seines Zugs mit seiner Reisetasche am Bahnhof, um eine zufällige Begegnung auf der Straße zu vermeiden. Im wartenden Zug suchte er sich einen Platz in der dritten Klasse.

Und als er dort saß, sah er das Leben plötzlich anders, mit einer schwachen und trügerischen Hoffnung, die er vierundzwanzig Stunden zuvor nicht gekannt hatte. Vielleicht gab es in den nächsten Jahren irgendeine Möglichkeit, sie wiederzusehen – wenn er schwer arbeitete, sich mit aller Kraft jeder Aufgabe widmete, die er finden konnte.

Er hatte von mindestens zwei Russen in Cannes gehört, die sich mit nichts als guten Manieren und Einfallsreichtum hochgearbeitet hatten und erstaunlich erfolgreich waren. Morris Hasyltons Blut begann in Vals Schläfen leise zu pochen, und es erinnerte ihn an etwas, woran er früher keinen Gedanken verschwendet hatte: Daran, dass Morris Hasylton, der seiner Tochter ein Stadtpalais in

Sankt Petersburg erbaut hatte, sich ebenfalls hoch-gearbeitet hatte.

Gleichzeitig ergriff ihn ein anderes Gefühl, weniger befremdlich, weniger aufwühlend, doch keineswegs weniger amerikanisch: das Gefühl der Neugier. Falls es ihm gelänge – falls das Leben ihm jemals ermöglichen sollte, sie wiederzufinden –, dann würde er endlich ihren Namen erfahren.

Er sprang auf, hantierte aufgeregt am Griff der Waggontür und sprang aus dem Zug. Er warf sei-nen Koffer in die Gepäckaufbewahrung und lief im Eilschritt zum Amerikanischen Konsulat.

»Heute Morgen ist eine Yacht angekommen«, sagte er hastig zu einem Angestellten, »eine ameri-kanische Yacht, die *Privateer*. Ich will wissen, wer der Besitzer ist.«

»Einen Augenblick, bitte«, sagte der Ange-stellte, der Val mit einem sonderbaren Blick mus-terte. »Ich werde versuchen, es herauszufinden.«

»Ist die Yacht eingelaufen?«

»O ja, sie ist angekommen. Ich denke es wenigs-tens. Wenn Sie bitte auf dem Stuhl dort drüben Platz nehmen würden.«

Nach weiteren zehn Minuten sah Val ungeduldig auf seine Uhr. Wenn sie sich nicht beeilten, war zu befürchten, dass er den Zug verpasste. Er machte eine nervöse Bewegung, als wollte er aufstehen.

»Bleiben Sie bitte sitzen«, sagte der Angestellte, der sofort von seinem Schreibtisch zu ihm hersah. »Bitte. Setzen Sie sich wieder.«

Val starrte ihn an. Warum sollte es diesen Mann interessieren, ob er blieb oder ging?

»Ich verpasse noch meinen Zug«, sagte er verärgert. »Ich bedaure, Ihnen so viel Mühe gemacht zu haben –«

»Bleiben Sie bitte sitzen! Wir sind froh, dass wir die Sache endlich abwickeln können. Auf Ihre Anfrage warten wir seit – warten Sie – genau, seit drei Jahren.«

Val sprang auf und setzte hastig seinen Hut auf.

»Warum haben Sie mir das nicht gleich gesagt?«, fragte er zornentbrannt.

»Weil wir unsere – äh, unseren Klienten zuerst informieren mussten. Bitte gehen Sie nicht! Es ist – äh, sowieso zu spät.«

Val drehte sich um. Eine schlanke, strahlende Erscheinung mit erschrockenen dunklen Augen stand hinter ihm und hob sich von dem Sonnenlicht aus der Tür ab.

»Oh –«

Val öffnete die Lippen, doch kein Laut kam aus seinem Mund. Sie trat einen Schritt auf ihn zu.

»Ich –« Sie sah ihn hilflos an, ihre Augen füllten sich mit Tränen. »Ich wollte nur guten Tag sagen«, murmelte sie. »Ich komme seit drei Jahren zurück, nur um guten Tag zu sagen.«

Val schwieg noch immer.

»Sie könnten wenigstens antworten«, sagte sie ungehalten. »Sie könnten wenigstens antworten, wenn ich – wenn ich langsam glauben musste, Sie wären im Krieg umgekommen.« Sie wandte sich an den Angestellten. »Machen Sie uns bitte miteinander bekannt!«, rief sie. »Ich kann ihm schließlich nicht guten Tag sagen, wenn wir nicht einmal den Namen des anderen kennen.«

Normalerweise hält man ja nicht viel von diesen internationalen Heiraten. Es ist eine tief eingewurzelte amerikanische Überzeugung, dass sie immer schiefgehen, und wir sind Schlagzeilen gewohnt, die da lauten: »Herzogin würde Krone jederzeit gegen wahre amerikanische Liebe eintauschen«, oder: »Bettelgraf soll Ehefrau aus Messerdynastie gequält haben.« Die anderen Schlagzeilen gelangen nie an die Öffentlichkeit, denn wer wollte schon lesen: »Frühere Georgia-Schönheit schwärmt von Liebesnest«, oder: »Herzog und Fabrikarbeitertochter feiern Goldene Flitterwochen.«

Bisher hat es überhaupt keine Schlagzeilen über die jungen Rostows gegeben. Fürst Val ist viel zu beschäftigt mit der Kette mitternachtsblauer Taxis, die er so außergewöhnlich tüchtig leitet, um Interviews zu geben. Er und seine Frau verlassen New York nur einmal im Jahr, doch es gibt einen Schiffer, der sich jedes Mal freut, wenn die *Privateer* eines Abends Mitte April in den Hafen von Cannes einläuft.

Guy de Maupassant

Eine Vendetta

Die Witwe Paolo Saverinis bewohnte allein
mit ihrem Sohn ein kleines ärmliches Haus
auf den Wällen von Bonifacio. Die Stadt, die, auf
einem Gebirgsvorsprung erbaut, an mancher Stelle
gar über die See hängt, blickt über die mit Rif-
fen bespickte Meerenge hinweg auf die niedriger
gelegene Küste Sardiniens. Zu ihren Füßen, zur
anderen Seite hin und sie beinahe vollends um-
schließend, dient ein Einschnitt im Fels, einem
gigantischen Korridor ähnlich, ihr als Hafen; er
führt nach langer Fahrt zwischen zwei schroffen
Wänden die kleinen italienischen oder sardischen
Fischerboote an die ersten Häuser, und – alle vier-
zehn Tage – auch den alten schnaufenden Dampfer,
der den Postdienst von Ajaccio versieht.

Auf dem weißen Berg ruht der Haufen Häuser als
ein noch weißerer Fleck. Sie sehen aus wie Horste
wilder Vögel, derart an diesen Fels geklammert
und jene fürchterliche Durchfahrt überragend, in
die sich die Schiffe kaum hineinwagen. Der Wind

ermattet ohne Rast das Meer, ermattet die nackte, von ihm zernagte, nur spärlich mit Gras bekleidete Küste; er drängt gewaltig in die Meerenge, deren beider Ufer er verheert. Die Streifen fahler Gischt, die an den schwarzen Zacken der unzähligen Klippen hängen, welche überall aus den Wellen stechen, gleichen treibenden und gaukelnden Tuchfetzen auf der Wasseroberfläche.

Das Haus der Witwe Saverini, an den Rand der Steilwand selbst geheftet, öffnete seine drei Fenster auf diesen wilden und trostlosen Horizont.

Sie lebte darin alleine mit ihrem Sohn Antoine und ihrer Hündin »Sémillante«, einem großen mageren Tier mit langem, rauhem Haar, von der Rasse der Hütehunde. Der junge Mann bediente sich ihrer bei der Jagd.

Eines Abends, nach einem Streit, wurde Antoine Saverini heimtückisch durch einen Messerstich von Nicolas Ravolati getötet, der noch in derselben Nacht nach Sardinien entfloh.

Als der alten Mutter der Leib ihres Kindes von Vorüberkommenden ins Haus gebracht wurde, weinte sie nicht, verharrte jedoch lange Zeit, indem sie ihn regungslos anschaute; dann breitete sie ihre faltige Hand über der Leiche aus und schwor ihm Vendetta. Keineswegs wollte sie, dass man bei ihr bliebe, und so sperrte sie sich mitsamt der heulenden Hündin bei dem toten Leib ein. Und dieses Tier heulte ohne Unterlass, stand am Fußende des Bettes, den Kopf seinem Herrn entgegengereckt und den Schwanz zwischen den Beinen eingeklemmt. Es rührte sich so wenig wie die Mutter, die nunmehr, mit starrem Blick über den Leib gebeugt, dicke stumme Tränen weinte und ihn betrachtete.

Der junge Mann, der, auf dem Rücken ausgestreckt, noch seine auf der Brust durchlöcherte und zerrissene Jacke von grobem Leinen trug, schien zu schlafen; doch überall war Blut: Auf dem Hemd, das bei den ersten Hilfeleistungen zerrissen ward, auf seinem Wams, auf seiner Hose, auf dem Gesicht, auf den Händen. Geronnenes Blut hatte sich im Bart und in den Haaren verklumpt.

Endlich schickte die alte Mutter sich an, mit ihm zu reden. Beim Klang ihrer Stimme verstummte die Hündin.

»Geh nur, geh, du wirst gerächt werden, mein Kleiner, mein Junge, mein armes Kind. Schlaf nur, schlaf, du wirst gerächt werden, hörst du? Die Mutter ist es, die dir das verspricht! Und sie hält immer Wort, die Mutter, das weißt du doch.«

Und langsam beugte sie sich über ihn, drückte ihre kalten Lippen auf die toten Lippen.

Alsdann begann Sémillante erneut zu winseln.

Sie stieß einen langen eintönigen Klagelaut aus, herzzerreißend, schaurig. So verblieben sie denn, alle beide, die Frau und die Hündin, bis zum Morgen.

Antoine Saverini wurde anderntags beerdigt, und bald sprach man in Bonifacio nicht mehr von ihm.

Er hatte weder Bruder noch nahe Verwandte hinterlassen. Kein Mann war da, um die Vendetta zu vollziehen. Einzig die Mutter dachte daran, die Alte.

Auf der anderen Seite der Meerenge sah sie von morgens bis abends einen weißen Punkt an der Küste. Ein kleines sardisches Dorf nämlich, Longosardo, in das sich die korsischen Banditen flüchten, denen man allzu dicht auf den Hacken sitzt. Sie bevölkern beinahe ausschließlich diesen Weiler gegenüber den Küsten ihres Vaterlandes und harren dort des rechten Augenblicks, um heimkehren, in den Maquis zurückgehen zu können. Und in ebendieses Dorf, so wusste sie, hatte Nicolas Ravolati sich geflüchtet.

Ganz alleine, den langen Tag über am Fenster sitzend, schaute sie hinüber und sann auf Rache. Wie würde sie es anstellen, so ohne irgendeinen Menschen, gebrechlich und dem Tod so nahe?

Aber sie hatte es gelobt, sie hatte auf den Leichnam geschworen. Sie konnte nicht vergessen, konnte nicht warten. Was sollte sie tun? Sie schlief des Nachts nicht mehr; fand weder Ruhe noch Frieden; grübelte versessen. Die Hündin schlummerte zu ihren Füßen, hob bisweilen den Kopf und heulte in die Ferne. Seit ihr Herr nicht mehr war, heulte sie häufig so, als wollte sie ihn rufen, als hätte ihre Tierseele sich, untröstlich, ein unauslöschliches Andenken bewahrt.

Und eines Nachts dann, als Sémillante erneut zu jaulen anfing, kam der Mutter mit einem Mal ein Einfall, der Einfall eines rachsüchtigen und blutdürstenden Wilden. Sie erwog ihn bis zum Morgen; dann, bereits in der ersten Frühe des Tages aufgestanden, begab sie sich in die Kirche. Sie betete, auf den Quadern niedergeworfen, vor Gott hingesunken, und flehte ihn an, ihr zu helfen, sie zu stützen, ihrem armen verbrauchten Leib die Kraft zu geben, die er benötigen würde, den Sohn zu rächen.

Dann kehrte sie heim. In ihrem Hof hatte sie ein altes recht ausgeschlagenes Tönnchen, welches das Wasser der Dachrinnen auffing; sie kippte es um, leerte es, befestigte es mit Pflöcken und Steinen am Boden; dann kettete sie Sémillante an diese Hundehütte an und ging wieder hinein.

Nun schritt sie ruhelos in ihrer Kammer auf und

ab, den Blick immerzu auf Sardiniens Küste gerichtet. Dort drüben war er, der Mörder.

Die Hündin heulte den ganzen Tag und die ganze Nacht. Die Alte brachte ihr am Morgen etwas Wasser in einem Napf; sonst aber nichts: weder Brühe noch Brot.

Wieder verstrich ein Tag. Sémillante schlief entkräftet. Anderntags hatte sie glänzende Augen, ihr Fell sträubte sich, und sie riss verzweifelt an ihrer Kette.

Die Alte gab ihr abermals nichts zu fressen. Das wild gewordene Tier bellte heiser. Auch diese Nacht verging.

Hierauf dann, als der Tag gerade angebrochen, ging die Mutter Saverini zum Nachbarn und bat ihn um zwei Bunde Stroh. Nahm alte Lumpen, welche einst ihr Ehemann getragen hatte, und stopfte sie mit jenem Stroh aus, um einen menschlichen Körper vorzutäuschen.

Nachdem sie vor Sémillantes Hütte einen Pfahl in den Boden gerammt, band sie daran die Strohpuppe fest, die somit aufrecht dazustehen schien. Sodann bildete sie den Kopf mit Hilfe eines Bündels alter Wäsche nach.

Die Hündin blickte überrascht diesen Strohmann an und verstummte, obgleich vom Hunger verzehrt.

Nun ging die Alte zum Wurstmetzger ein langes Stück schwarzer Blutwurst kaufen. Zu Hause angekommen, fachte sie ein Holzfeuer in ihrem Hof bei der Hütte an und briet die Blutwurst darüber. Völlig außer sich sprang Sémillante umher, geiferte und stierte fest auf den Rost, dessen Duft ihr in den Magen fuhr.

Hierauf machte die Mutter aus diesem dampfenden Brei dem Strohmann eine Halsbinde. Diese verschnürte sie ihm so lange um den Hals, als hätte sie sie ihm hineindrücken wollen. Da dies beendet war, ließ sie die Hündin von der Kette.

In einem ungeheuren Sprung erreichte das Tier der Puppe Gurgel und schickte sich, die Pfoten auf deren Schultern, an, sie zu zerfetzen. Es fiel von ihr herab, ein Stück seiner Beute noch im Maul, stürzte sich erneut darauf, schlug die Hauer in die Stricke, biss einige Brocken Fressen heraus, fiel abermals ab und sprang grimmig wieder an ihr hoch. Mit wütenden Bissen riss das Tier ihr das Gesicht weg, den ganzen Hals in Fetzen.

Die Alte sah dem stumm und regungslos, mit entflammtem Blicke zu. Endlich kettete sie ihr Tier wieder an, ließ es abermals zwei Tage hungern und begann diese befremdliche Übung von neuem.

Während dreier Monate gewöhnte sie es an solcherlei Kampf, an dieses mit Fangzahn und Bissen errungene Fressen. Sie kettete es nun nicht mehr an, hetzte es indes mit bloßer Handbewegung auf die Puppe.

Sie hatte ihm so beigebracht, jene zu zerfetzen, zu verschlingen, auch ohne dass nur irgendetwas Fressbares in deren Kehle verborgen war. Und gab ihm hernach, als Belohnung, die für das Tier geröstete Blutwurst.

Sobald sie den Mann erblickte, schauderte Semillante, wandte dann die Augen ihrer Herrin zu, die ihr mit zischender Stimme und den Finger hebend »Geh!« zurief. Als sie die Zeit für gekommen befand, ging die Mutter Saverini zur Beichte und kommunizierte eines Sonntagmorgens mit ekstatischer Inbrunst; dann, nachdem sie sich Männerkleidung, gleich einem armen zerlumpten Greis übergezogen, kam sie mit einem sardischen Fischer im Handel überein, der sie, in Begleitung ihrer Hündin, auf die andere Seite der Meerenge brachte.

Sie hatte in einem Leinensack ein großes Stück Blutwurst bei sich. Sémillante hungerte seit zwei Tagen. Die alte Frau ließ sie alle Augenblicke an dem duftenden Fraß schnuppern und stachelte sie auf.

Sie betraten Longosardo. Die Korsin schritt leicht hinkend daher. Sie fand sich bei einem Bäcker ein und fragte ihn nach Nicolas Ravolatis Behausung. Er hatte wieder seinen ehemaligen Beruf eines Schreiners ergriffen. Er arbeitete allein im hinteren Winkel seiner Werkstatt.

Die Alte stieß die Tür auf und rief ihn an: »He! Nicolas!« Er wandte sich um; da ließ sie ihre Hündin los und schrie: »Geh, geh, fass, fass!«

Das Tier schnellte schier außer sich vorwärts, biss sich an der Kehle fest. Der Mann breitete die Arme aus, umschlang das Tier, stürzte zu Boden. Während einiger Sekunden wand er sich, trommelte mit den Füßen auf den Boden; dann blieb er reglos liegen, während Sémillante ihm den Hals zerfleischte und Fetzen herausriss. Zwei Nachbarn, die auf ihrer Türschwelle saßen, erinnerten sich ganz genau, einen alten Habenichts mit einem schwarzen ausgemergelten Hund herauskommen gesehen zu haben, welcher, im Weitergehen, etwas Bräunliches fraß, das ihm sein Herr gab.

Die Alte war am Abend wieder bei sich zu Hause. Und sie schlief gut in jener Nacht.

Nachweise

Gefährliche Ferien –
Italien

Mit Donna Leon, Andrea De Carlo,
Carlo Lucarelli und anderen
Ausgewählt von Silvia Zanovello

Ein Buch fürs Handgepäck oder für die Reise im Kopf
– an die herrlichen Schauplätze, die Italien zu bieten
hat: dunkle piemontesische Trüffelwälder, vor Hitze
flirrende toskanische Steinbrüche, das Labyrinth der
Calli in Venedig, Strände mit übermütigen Jungs und
attraktiven Frauen, blühende Mandelhaine sowie ein
sizilianisches Castello mit einem phantastischen Blick
über Palermo und das Meer.
Doch hinter der Dolce Vita lauert Gefahr. Nicht nur
von Mafiabossen und Kriminellen, sondern auch von
Badegästen, Hunden und Schmetterlingen … Fünfzehn
Geschichten aus den Ferienregionen des Bel Paese, geschrieben von so berühmten Autoren wie Donna Leon,
Erri De Luca, Carlo Lucarelli und Patricia Highsmith.
Und mit zwei Exklusivgeschichten von Andrea De Carlo und Christoph Poschenrieder.

Paulo Coelho
im Diogenes Verlag

»Offenbar besitzt Coelho das besondere Talent, jeden Menschen anzusprechen. Er ist ein einfühlsamer Lehrer. Dies führte zur erstaunlichen Anziehungskraft von Paulo Coelho, dessen Bücher mittlerweile weltweit über 190 Millionen Mal verkauft worden sind.«
Dana Goodyear / The New Yorker

»Paulo Coelho erzählt von elementaren Erfahrungen, und die Leser erkennen sich darin wieder: mit ihren Schwächen und Ängsten ebenso wie mit ihren Sehnsüchten und Träumen.«
Rainer Traub / Der Spiegel, Hamburg

»Jede Gelegenheit, sich zu verändern, ist eine Gelegenheit, die Welt zu verändern.« *Paulo Coelho*

Unterwegs – Der Wanderer
Gesammelte Geschichten. Ausgewählt
von Anna von Planta. Deutsch von
Maralde Meyer-Minnemann
Eine Auswahl auch als Diogenes Hör-
buch erschienen, gelesen von Sven
Görtz

Der Zahir
Roman. Deutsch von Maralde Meyer-
Minnemann

*Sei wie ein Fluß, der still die
Nacht durchströmt*
Geschichten und Gedanken. Deutsch
von Maralde Meyer-Minnemann
Ausgewählte Geschichten und Gedanken auch als Diogenes Hörbücher erschienen: *Sei wie ein Fluß, der still die
Nacht durchströmt* sowie *Die Tränen
der Wüste*, beide gelesen von Gert Heidenreich

Die Hexe von Portobello
Roman. Deutsch von Maralde Meyer-
Minnemann
Auch als Diogenes Hörbuch erschie-
nen, gelesen von Gert Heidenreich

Brida
Roman. Deutsch von Maralde Meyer-
Minnemann
Auch als Diogenes Hörbuch erschie-
nen, gelesen von Sven Görtz

Der Sieger bleibt allein
Roman. Deutsch von Maralde Meyer-
Minnemann
Auch als Diogenes Hörbuch erschie-
nen, gelesen von Sven Görtz

Schutzengel
Roman. Deutsch von Maralde Meyer-
Minnemann
Auch als Diogenes Hörbuch erschie-
nen, gelesen von Sven Görtz

Aleph
Roman. Deutsch von Maralde Meyer-
Minnemann
Auch als Diogenes Hörbuch erschie-
nen, gelesen von Sven Görtz

Die Schriften von Accra
Roman. Deutsch von Maralde Meyer-
Minnemann
Auch als Diogenes Hörbuch erschie-
nen, gelesen von Sven Görtz

Untreue
Roman. Deutsch von Maralde Meyer-
Minnemann
Auch als Diogenes Hörbuch erschie-
nen, gelesen von Luise Helm

Die Spionin
Roman. Deutsch von Maralde Meyer-
Minnemann
Auch als Diogenes Hörbuch erschie-
nen, gelesen von Luise Helm

Außerdem erschienen:

Bekenntnisse eines Suchenden
Juan Arias im Gespräch mit Paulo
Coelho. Aus dem Spanischen von
Maralde Meyer-Minnemann

Leben
Gedanken aus seinen Büchern. Deutsch
von Cordula Swoboda Herzog und
Maralde Meyer-Minnemann. Illustrationen von Anne Kristin Hagesæther

Liebe
Gedanken aus seinen Büchern.
Deutsch von Cordula Swoboda Her-
zog und Maralde Meyer-Minnemann.
Illustrationen von Catalina Estrada

Freundschaft
Buch-Kalender 2017. Deutsch von Cor-
dula Swoboda Herzog und Maralde
Meyer-Minnemann. Illustrationen von
Catalina Estrada

Bernhard Schlink
im Diogenes Verlag

»Bernhard Schlink gehört zu den größten Begabungen der deutschen Gegenwartsliteratur. Er ist ein einfühlsamer, scharf beobachtender und überaus intelligenter Erzähler. Seine Prosa ist klar, präzise und von schöner Eleganz.«
Michael Kluger / Frankfurter Neue Presse

»Makellos-schlichte Prosa. Schlink ist ein Meister der deutschen Sprache.«
Eckhard Fuhr / Die Welt, Berlin

Patricia Highsmith
im Diogenes Verlag

Im Frühling 2002 hat der Diogenes Verlag eine Werk-
ausgabe von Patricia Highsmith mit weltweit un-
veröffentlichten Stories aus dem Nachlass und mit
Neuübersetzungen ihres zu Lebzeiten erschienenen
Werks gestartet (u. a. von Nikolaus Stingl, Melanie
Walz, Irene Rumler, Christa E. Seibicke, Dirk van
Gunsteren, Werner Richter und Matthias Jendis). Alle
Bände in neuer Ausstattung, kritisch durchgesehen
nach den Originaltexten und mit einem Nachwort zu
Lebens- und Werkgeschichte. Die Edition macht sich
erstmals die Aufzeichnungen der Autorin zur Entste-
hungsgeschichte einzelner Werke, zu Plänen und In-
spirationsquellen zunutze und informiert über den
schöpferischen Prozess und über die Lebenszusam-
menhänge, wie sie sich aus den Notiz- und Tage-
büchern der Autorin rekonstruieren lassen.
Werkausgabe in 32 Bänden. Herausgegeben von Paul
Ingendaay und Anna von Planta in Zusammenarbeit
mit Ina Lannert, Barbara Rohrer und Kate Kingsley
Skattebol. Jeder Band mit einem Nachwort von Paul
Ingendaay.

Bisher erschienen:

Zwei Fremde im Zug
Roman. Aus dem Amerikanischen von
Melanie Walz

Der Schrei der Eule
Roman. Deutsch von Irene Rumler

Das Zittern des Fälschers
Roman. Deutsch von Dirk van Gunsteren

Die stille Mitte der Welt
Stories. Deutsch von Melanie Walz

Lösegeld für einen Hund
Roman. Deutsch von Christa E. Seibicke

Der talentierte Mr. Ripley
Roman. Deutsch von Melanie Walz
Auch als Diogenes Hörbuch erschie-
nen, gelesen von Gert Heidenreich

Ripley Under Ground
Roman. Deutsch von Melanie Walz

Die Augen der Mrs. Blynn
Stories. Deutsch von Christa E. Seibicke

Der Schneckenforscher
Stories. Deutsch von Dirk van Gunsteren
Eine Story auch als Diogenes Hörbuch erschienen: *Als die Flotte im Hafen lag*, gelesen von Evelyn Hamann

F. Scott Fitzgerald
im Diogenes Verlag

Er war Ernest Hemingways Vorbild. Dashiell Hammett, Raymond Chandler, Gertrude Stein und T.S. Eliot lasen ihn mit Begeisterung. Und heute ist er der Lieblingsautor so unterschiedlicher Persönlichkeiten wie Doris Dörrie, Joey Goebel und Haruki Murakami.

»Die Texte Fitzgeralds überzeugen heute vielleicht noch mehr als zu seinen Lebzeiten, da sie nicht mehr als Zeit- und Narrenspiegel, sondern als großartige Literatur gelesen werden können.«
General-Anzeiger, Bonn

»F. Scott Fitzgerald ist ein Schriftsteller, wie er uns heute fehlt. Man kann ihn wieder und wieder lesen.«
Frankfurter Allgemeine Zeitung

»Engel sind die eleganteren Menschen. Aber wer hoch steigt, wird tief fallen. Niemand zeigte beides so schön wie F. Scott Fitzgerald.«   *Frankfurter Rundschau*

»F. Scott Fitzgerald war der Größte unter uns allen.«
Ernest Hemingway

Die Romane in fünf Bänden in Kassette
Alle Bände auch als Einzelausgaben in Leinen sowie im Taschenbuch erhältlich:

Diesseits vom Paradies
Roman. Aus dem Amerikanischen von Bettina Blumenberg und Martina Tichy. Mit einem Nachwort von Manfred Papst
Auch als Diogenes Hörbuch erschienen, gelesen von Burghart Klaußner

Die Schönen und Verdammten
Roman. Deutsch von Hans-Christian Oeser. Mit einem Nachwort von Manfred Papst

Auch als Diogenes Hörbuch erschienen, gelesen von Gert Heidenreich

Der große Gatsby
Roman. Deutsch von Bettina Abarbanell. Mit einem Nachwort von Paul Ingendaay
Auch als Diogenes Hörbuch erschienen, gelesen von Gert Heidenreich

Zärtlich ist die Nacht
Roman. Deutsch von Renate Orth-Guttmann. Mit einem Nachwort von Heinrich Detering
Auch als Diogenes Hörbuch erschienen, gelesen von Burghart Klaußner

Die Liebe des letzten Tycoon
Roman. Deutsch von Renate Orth-Guttmann. Mit einem Nachwort von Verena Lueken
Auch als Diogenes Hörbuch erschienen, gelesen von Anna Thalbach

Winterträume
Erzählungen. Deutsch von Bettina Abarbanell, Dirk van Gunsteren, Christa Hotz, Alexander Schmitz, Christa Schuenke, Walter Schürenberg und Melanie Walz. Mit einem Nachwort von Manfred Papst
Daraus die Erzählung ›Winterträume‹ auch als Diogenes Hörbuch erschienen, gelesen von Friedhelm Ptok

Die letzte Schöne des Südens
Erzählungen. Deutsch von Bettina Abarbanell, Anna Cramer-Klett, Dirk van Gunsteren, Christa Hotz, Alexander Schmitz, Walter Schürenberg und Melanie Walz. Mit einem Nachwort von Paul Ingendaay

Wiedersehen mit Babylon
Erzählungen. Deutsch von Bettina Abarbanell, Christa Hotz, Renate Orth-Guttmann, Alexander Schmitz, Christa Schuenke, Walter Schürenberg und Melanie Walz. Mit einem Nachwort von Daniel Kampa

Der letzte Kuss
Erzählungen. Deutsch von Christa Hotz, Renate Orth-Guttmann, Harry Rowohlt, Alexander Schmitz, Walter Schürenberg und Melanie Walz. Mit einem Nachwort von Verena Lueken

Außerdem lieferbar:

Drei Stunden zwischen zwei Flügen
und andere Meistererzählungen. Ausgewählt und mit einem Nachwort von Daniel Kampa

Junger Mann aus reichem Haus
Erzählungen. Mit einem Vorwort von John Updike. Deutsch von Bettina Abarbanell und Walter Schürenberg

Der seltsame Fall des Benjamin Button
Erzählung. Deutsch von Christa Schuenke
Auch als Diogenes Hörbuch erschienen, gelesen von Gert Heidenreich

Früher Erfolg
Essays. Über Geld und Liebe, Jugend und Karriere, Schreiben und Trinken. Deutsch von Melanie Walz, Bettina Abarbanell und Renate Orth-Guttmann

Liebe in der Nacht
und andere Lovestories. Ausgewählt von Silvia Zanovello. Deutsch von Bettina Abarbanell, pociao, Christa Schuenke und Melanie Walz

Ein Diamant – so groß wie das Ritz
Erzählung. Diogenes Hörbuch, 2 CD, gelesen von Gert Heidenreich

Pietro Citati
Schön und verdammt
Ein biographischer Essay über Zelda und F. Scott Fitzgerald. Aus dem Italienischen von Maja Pflug

Petros Markaris
im Diogenes Verlag

Petros Markaris, geboren 1937 in Istanbul, studierte
Volkswirtschaft, bevor er zu schreiben begann. Er ist
Verfasser von Theaterstücken, Schöpfer einer belieb-
ten griechischen Fernsehserie, Übersetzer von vielen
deutschen Dramatikern, u.a. von Brecht und Goethe,
und er war Co-Autor des Filmemachers Theo Ange-
lopoulos. Petros Markaris lebt in Athen.

»Kommissar Charitos hat längst Kultstatus. Spannung,
Humor und Sozialkritik verbindet Markaris zum Ge-
samtkunstwerk.« *Welt am Sonntag, Hamburg*

»Petros Markaris gefällt mir außerordentlich.«
Andrea Camilleri

Die Fälle für Kostas Charitos:
Hellas Channel
Roman. Aus dem Neugriechischen
von Michaela Prinzinger

Nachtfalter
Roman. Deutsch von Michaela Prinzinger

Live!
Roman. Deutsch von Michaela Prinzinger

Der Großaktionär
Roman. Deutsch von Michaela Prinzinger

Die Kinderfrau
Roman. Deutsch von Michaela Prinzinger
Auch als Diogenes Hörbuch erschienen, gelesen von Tommi Piper

Faule Kredite
Roman. Deutsch von Michaela Prinzinger

Zahltag
Roman. Deutsch von Michaela Prinzinger

Abrechnung
Roman. Deutsch von Michaela Prinzinger

Zurück auf Start
Roman. Deutsch von Michaela Prinzinger

Außerdem erschienen:

Balkan Blues
Geschichten. Deutsch von Michaela
Prinzinger

Der Tod des Odysseus
Erzählungen. Deutsch von Michaela
Prinzinger

Wiederholungstäter
Ein Leben zwischen Istanbul, Wien
und Athen. Deutsch von Michaela Prinzinger

Finstere Zeiten
Zur Krise in Griechenland

Quer durch Athen
Eine Reise von Piräus nach Kifissia.
Deutsch von Michaela Prinzinger

Donna Leon
im Diogenes Verlag

»Ich kann nicht behaupten, dass Brunetti eine Erfindung von mir ist, es kommt der Wahrheit viel näher zu sagen, dass ich ihn eines Tages entdeckte, während er hinter dem Opernhaus ›La Fenice‹ in vollendeter Gestalt aus dem Polizeiboot stieg.«   *Donna Leon*

»Donna Leons Krimis mit dem attraktiven Commissario Brunetti haben eine ähnliche Sogwirkung wie die Stadt, in der sie spielen.«
Franziska Wolffheim / Brigitte, Hamburg

»Commissario Brunetti ist einzigartig.«
Publishers Weekly, New York

Christian Schünemann
im Diogenes Verlag

Christian Schünemann, geboren 1968 in Bremen, studierte Slawistik in Berlin und Sankt Petersburg, arbeitete in Moskau und Bosnien-Herzegowina und absolvierte die Evangelische Journalistenschule in Berlin. Eine Reportage in der *Süddeutschen Zeitung* wurde 2001 mit dem Helmut-Stegmann-Preis ausgezeichnet. Beim Internationalen Wettbewerb junger Autoren, dem Open Mike 2002, wurde ein Auszug aus dem Roman *Der Frisör* preisgekrönt. Christian Schünemann lebt in Berlin.

»Schünemann verwendet auf die sardonische Schilderung einschlägiger Milieus mindestens ebenso viel Liebe und Sorgfalt wie auf den jeweils aktuellen Casus.« *Hendrik Werner / Die Welt, Berlin*

Der Frisör
Roman

Der Bruder
Ein Fall für den Frisör
Roman

Die Studentin
Ein Fall für den Frisör
Roman

Daily Soap
Ein Fall für den Frisör
Roman

Außerdem erschienen:

Christian Schünemann & Jelena Volić
Kornblumenblau
Ein Fall für Milena Lukin
Roman

Pfingstrosenrot
Ein Fall für Milena Lukin
Roman